“

평범한 일상의 기적을 꿈꾸며

매일 행복하지 않아도 행복해

“

평범한 일상의 기적을 꿈꾸며

매일 행복하지 않아도 행복해

유영숙 지음

BOOKK

차례

행복 둘. 소소한 하루하루 행복한 일상

행복 셋. 소박한 나들이로 행복한 일상

행복 넷. 음식을 나누는 행복한 일상

추천의 글

좋은 사람 곁에는 좋은 사람이 머문다

책을 읽으면서 느꼈다. 남편, 쌍둥이 손자, 아들, 며느리 등등 작가님 주변에는 늘 친절하고도 좋은 사람이 가득하다. 왜 그럴까? 내가 내린 결론은 이거다. 좋은 사람 곁에는 좋은 사람이 머문다고. 정말 자상하고도 좋은 사람이 쓴 글을 보고 싶으면 이 책을 꼭 읽어보라고 권하고 싶다.

이 책은 거창한 이야기가 아니다. 오솔길을 걷듯 소소하면서도 따뜻한 그녀의 일상을 천천히 따라가다 보면 멀리서 찬란한 무지개가 보이는 것 같다. 빵조각을 바닥에 뿌리고 갔던 <헨젤과 그레텔>처럼 여행, 요리, 만남 등등 그녀가 던지는 삶의 부스러기들을 하나하나 줍다 보면 이내 마음속 먼지가 개이고 시야 너머로 청명한 하늘이 환하게 펼쳐진다. 소확행, 소소하지만 확실한 행복이라는 요즘 유행어가 달리 있는 게 아니었다.

마침내 책장을 덮었을 때 이상하게 나는 평양냉면이 생각났다. 혀끝에 호로록 감기는 개운하면서도 감칠맛 있는 풍미, 담백하고도 구수한 목 넘김, 아마 독자분들도 나와 비슷한 경험을 하시리라 생각한다.

-최윤석 작가(KBS 드라마 PD)

「달의 아이」, 「셜록의 아류」, 「당신이 있어 참 좋다」 출간

프롤로그

평범한 일상이 기적이다

난 요즘 '평범한 일상이 기적'이란 말을 믿는다.

세상에는 매일매일 다양한 사고가 있다. 교통사고뿐만 아니라 화재 사고도 자주 일어난다. 지난해 4월에는 강릉 산불 화재 사고로 사촌 동생의 펜션이 전소되었다. 20년 이상을 운영했던 펜션이 전소되었으니 얼마나 기가 막힐까. 전화로 위로해 주었지만, 지금도 마음이 아프다. 이렇듯 다양한 사고 속에서 평범한 일상은 기적이 아니고서는 불가능하다. 요즘 평범한 하루하루가 너무 소중하다. 그러기에 매일매일을 즐겁고 열심히 살아야겠다고 생각한다.

친정엄마가 장기 요양 급여 4등급을 받으셨다. 강릉에서 혼자 생활하셨는데 어깨를 다치면서 병원에 입원하셨다가 퇴원하셨다. 갑자기 인지가 나빠지셨다. 퇴원하며 큰 딸인 우리 집에 오셔서 함께 생활하셨다. 우리 집에 계시는 동안 편안하다고 하셨다. 딸이 있어서 너무 좋다고 하셨다. 등급을 받으시고 주간 보호센터를 복지관이라고 부르며 매일 신나게 다니셨다. 지금까지 건강하신 줄 알았다. 갑자기 호흡

곤란이 와서 병원에 입원하여 검사받던 중 심정지가 와서 우리 곁을 떠나셨다. 친정엄마는 노래 부르는 것을 좋아하셨고 늘 긍정적이셔서 100살까지는 건강하게 사실 줄 알았다. 부모는 자식이 효도할 때를 기다려주지 않는다. 어느 날 갑자기 우리 곁을 떠날 수 있다. 작별 인사조차 하지 못하고 떠나실 수 있음을 알았다. 후회가 많이 된다. 살아계실 때 더 잘해 드리지 못한 게 가슴에 맺힌다. 친정엄마가 그립다. 너무 보고 싶은데 이제 만날 수 없는 먼 곳으로 가셨다.

평범한 일상에서 매일 특별하게 행복한 일이 없어도 행복하다. 일부러 행복해지려고 특별한 일을 만들지도 않는다. 그저 평범한 일상에서 행복을 찾는다. 손주 이야기는 늘 행복을 가져다주고, 가족과 함께 맛있는 음식 하나 만들어 먹어도 행복하다. 가끔 친구나 지인을 만나 실컷 수다 떨고 하루를 보내고 와도 행복하다. 매일 반복되는 일상이지만 그 안에서 행복을 발견하면 그게 행복이다. 평범한 일상이 가장 행복한 것임을 친정엄마가 돌아가시고 나서야 알게 되었다. 행복은 마음이 행복하면 그게 행복이라고 한다. 이 책을 읽는 분들이 평범한 일상에서 행복을 발견하길 바란다.

'내일 죽을 것처럼 살아라. 그리고 영원히 살 것처럼 배워라.'

-삶의 끝에서 비로소 깨닫게 되는 것들(저자 : 정재영)

행복 하나.

가족과 함께하는 행복한 일상

다섯 살 쌍둥이 손자와 놀면 하루가 짧다

다섯 살 쌍둥이 손자가 있다. 주말마다 쌍둥이 손자를 돌본다. 손자가 태어난 후 6개월부터 돌봐 주었으니 벌써 5년이 지났다. 손자는 매주 금요일에 우리 집에 와서 2박 3일을 보내고 일요일 저녁에 간다. 주변에서 일하는 분이 주말까지 손자를 돌보니 대단하다고 한다. 힘들지 않냐고도 한다. 물론 힘들다. 손자가 오면 모든 것이 손자 중심으로 돌아가기에 개인적인 일은 할 수 없다. 힘들지만 손자가 주는 기쁨이 더 크기에 힘든 줄도 모른다. 함께 놀고, 함께 밥 먹고, 함께 잠도 잔다. 주말에 손자 돌보는 일이 일상의 한 부분이 되었다. 주말에 며느리가 육아에서 벗어나 충전하길 바란다.

손자를 돌보며 손자 물건이 많아졌다. 거실에 트램펄린이 있다. 가장 오래 사용하는 놀이기구다. 그네, 미끄럼틀은 세 살까지 놀다가 다른 사람에게 주었다. 요즘 손자는 '한국을 빛낸 100인의 위인들' 노래에 빠졌다. 3절까지 100인을 다 외워서 노래 부른다. 유튜브를 틀고 트램펄린에서 뛰며 신나게 노래 부른다.

트램펄린에서 뛰다가 힘들면 블록을 가지고 논다. 쌍둥이 손자는 숫자를 좋아한다. 숫자 배열을 다 알아 만 자리까지 다 안다. 오늘은 블록으로 숫자를 만들어 본다. 나름 색깔도 규칙을 만들어 끼운다. 숫자 7은 항상 빨주노초파남보 무지개색으로 만든다. 1부터 22까지 만들고 보니 숫자 2가 부족하여 마지막 2는 종이에 써서 오려주었다.

놀다 보니 밖에 나가고 싶어 한다. 쌍둥이 손자는 '아파트 한 바퀴 돌기'를 좋아한다. 아파트가 101동부터 119동까지 있다. 신나게 뛰어가다가 보도블록에 걸려 넘어졌다. 손가락이 살짝 까져서 피가 나고 무릎도 아프다고 한다. 피난다고 아파트가 떠나가게 운다. 집으로 들어가서 소독하고 밴드를 붙여주었다.

다행스럽게 무릎은 빨개지기만 하고 상처가 안 났다. 아프다고 나가지 않을 줄 알았는데 나가자고 한다. 먼저 아파트 101동으로 간다. 101동을 확인하고 102동, 103동을 지나 104동으로 왔다. 104동에는 놀이터가 있다. 참새가 방앗간을 지나치지 못하듯 손자는 놀이터로 향한다. 그네 두 대에 한 명씩 타고 밀어달라고 한다.

두 명을 밀어주려면 할머니가 근력이 있어야 한다. 운동을 꾸준히 해야 하는 이유다. 할아버지와 함께 나오면 한 명씩 책임지면 되는데 오늘은 나 혼자 데리고 나왔다. 손자가 놀이터에서 놀고 있는 다른 친구들에게 "몇 살이야?" 하고 말도 걸어본다. 그런 손자가 많이 큰 것 같아 기특하다. 그네 몇 번 타고 미끄럼도 타다가 105동을 찾아갔다. 차례대로 돌다 보니 108동 놀이터에 도착하여 한바탕 또 놀고 다음 동으로 이동한다.

점심시간이다. 점심에는 사리 곰탕면을 끓여달라고 한다. 쌍둥이가 좋아하는 음식이다. 쌍둥이 손자는 입이 짧다. 과일도 잘 안 먹고, 그저 밥과 치즈, 우유 정도를 먹는다. 지난주에 한 개를 삶아서 나눠 주었더니 더 달라고 했다. 오늘은 사리 곰탕면 두 개를 끓였다. 스파게티 먹을 때처럼 포크로 돌돌 말아서 잘 먹는다.

"우와!"

사리 곰탕면 1개씩 다 먹는다. 아파트를 한 바퀴 돌고 오니 배가 고팠나 보다. 쌍둥이 손자가 잘 먹으니 나는 안 먹어도 배가 부르다.

점심 먹고 핸드폰을 잠시 하였다. 핸드폰 기능은 어찌 아는지 나보다 손이 빠르다. 핸드폰을 바꾸면서 쓰던 핸드폰을 손자에게 하나씩 주었다. 주로 카카오 맵이나 네이버 지도에서 아파트를 찾는다. 아파트 찾아보는 것이 왜 재미있는지 모르겠다. 다른 동네에 있는 아파트도 찾아보다 보니 잠실에 있는 아파트 이름도 안다. 롯데 타워에 갔을 때 전망대에서 내려다보며 아파트 이름을 말해서 깜짝 놀랐다.

그러다가 음성 검색으로 원하는 것도 찾아본다. 언제 다운로드했는지 게임도 한다. 아이들이 앞으로 살 세상은 핸드폰 없이는 안되기에 자연스럽게 핸드폰을 하게 한다. 집에서는 저녁을 먹으면 하는데 우리 집에 오면 점심 먹고도 잠깐 한다. 주말이니까.

이제 칠판에 그림도 그려본다. 칠판에 아파트도 그리고 더하기 공부도 한다. 오늘은 둘째가 봄에 다녀온 롯데타워를 그렸다. 123층 탑도 그린다. 그림을 그리고 한글로 롯데타워라고 쓴다. 쌍둥이 손자는 세 돌 지나면서 한글을 읽었다. 글씨 쓰는 것은 다섯 살 되면서부터 자연스럽게 시작하였다.

다섯 살 쌍둥이 손자는 그림 그리기에 싫증이 나면 알파벳 카드를 가져온다. 알파벳은 유튜브를 보면서 익혔다. 그러다가 세계 국기에 빠져서 나라 이름을 영어로 다 읽더니 저절로 파닉스가 되었다. 영어 단어를 보면 비슷하게 읽는다. 영어 공부는 아직 본격적으로 시키지 않지만, 자연스럽게 관심을 가지게 되었다.

물건을 보면 영어로 무엇이냐고 물어본다. 갑자기 생각이 안 날 때도 있다. 아무래도 영어 공부를 다시 해야 할 것 같다. 손자가 물어보는데 모르면 교장 선생님까지 지낸 할머니 체면이 말이 아니다.

이렇게 다섯 살 쌍둥이 손자와 놀다 보니 하루가 다 지나간다. 하루가 짧다. 이제 저녁 먹고 양치하고 잘 준비한다. 자기 전에 빨리 자기 싫으면 책을 읽어달라고 한다. 책을 여러 권 가져오며 다 읽고 잔다고 한다. 쌍둥이 손자와 셋이서 한 쪽씩 돌아가며 읽는다. 그러다 읽기 싫으면 할머니가 읽으라고 한다.

쌍둥이 손자가 핸드폰보다 책을 좋아하는 아이로 자라길 바라지만, 억지로 할 수는 없다. 어른들이 책 읽는 분위기를 만들어 주는 것이 중요하다. 쌍둥이 손자가 예쁜 꿈 꾸며 오늘도 잘 자길 기도한다.

이번 주말에도 다섯 살 쌍둥이 손자와 잘 놀았다. 손자가 할아버지 집에 오는 걸 좋아해서 다행이다. 할머니와 노는 것을 좋아해서 힘든 줄도 모른다. 이번 주말에도 다양한 놀이를 하며 잘 놀고 갔다. 우리 집에서 놀면서 다치지 않기를 늘 바란다. 손자가 집에서나 유치원에서 건강하고 안전하게 지내길 기도한다. 지혜롭게 자라고 다른 사람을 배려하는 아이로 자라길 기도한다.

손자가 있어서 참 행복하다. 쌍둥이 손자라 행복도 두 배다.

할아버지 붕어빵 찰떡이와 첫 만남

2022년 9월 8일에 태어난 손자를 오늘 처음 만나러 간다. 옛날 같았으면 태어나자마자 병원에서 바로 인사했을 텐데 코로나19로 인해 50일이 지난 지금에야 만나러 간다. 둘째 아들 쌍둥이 손자가 먼저 태어나서 세 번째 손자다. 그동안 카톡으로 보내준 사진과 영상을 많이 보았지만 직접 만난다고 생각하니 가슴이 떨린다.

큰아들은 수원에서 살고 있어서 자주 가보지 못했다. 찰떡이 낳기 전 8월 말에 다녀오고 두 달 만에 방문한다. 찰떡이는 손자 태명이다. 11월 1일이 큰아들 생일이라 생일 축하도 할 겸 찰떡이도 볼 겸해서 가게 된 거다. 혹시 필요한 것이 있는지 전화로 물어보며 남편과 일주일 전부터 준비하였다. 반찬은 친정어머니께서 가져다주었다고 괜찮다고 해서 사골과 참기름, 들기름도 하나씩 챙겨 놓았다. 새로 사놓은 햅쌀도 챙기고 작은 며느리가 사 온 내복과 쌍둥이가 사용하던 유아 식탁 의자도 하나 챙겼다. 그리고 필요한 것 사라고 축하금도 당연히 준비했다.

몇 년 동안 쌍둥이 손자를 주말에 우리 집에서 돌보아 주고 있어서 우리 집엔 손자가 사용하던 장난감과 물건들이 많이 있다. 지금은 사용하지 않는 유아 식탁 의자도 두 개, 아기 욕조, 유모차, 보행 보조기도 있다. 오랜만에 핑크퐁과 아기 상어 장난감을 꺼내 건전지를 넣어서 잘 움직이는지 확인했다. 다행히 작동이 잘 되었다. "핑크퐁, 핑크퐁" 소리가 경쾌하다. 쌍둥이가 기어 다닐 때 아기 상어를 따라다니던 것이 엊그제 같은데 벌써 다섯 살이다. 세월이 참 빠르다. 이제 찰떡이가 조금 더 크면 가지고 놀 수 있어서 장난감도 몇 개 챙겼다.

커피와 토스트로 아침을 간단히 먹고 10시에 출발하였다. 가다가 생일 케이크도 샀다. 수원까지는 한 시간 이상 걸린다. 창밖으로 떨어지는 단풍을 보며 마지막 가을을 느낀다. 가을은 버릴 것이 하나도 없다. 파란 하늘, 오색 단풍, 황금 들판, 빛고운 단감 그리고 얼굴을 간지럽히는 따사한 햇살. 곧 이 모든 것이 사라진다는 생각에 아쉬움이 출렁인다. 주말이라 정체 구간이 길다. 찰떡이를 빨리 만나고 싶은 생각에 막히는 길이 야속하다. 그래도 친절한 네비게이션이 덜 막히는 길로 안내해 주어 1시간 20분 만에 도착하였다. 오랜만에 방문하다 보니 가지고 간 짐이 많아 아들이 내려와서 함께 짐을 날랐다.

다행히 찰떡이가 자지 않고 있었다. 깨끗하게 손을 씻고 찰떡이와 처음 만났다. 아직 낯을 가리지 않아서 울지 않았다. 찰떡이는 사진으로 볼 때보다 훨씬 더 아빠와 붕어빵이었다. 아빠가 할아버지를 닮았으니 할아버지와도 붕어빵이다. 며느리 말로 자는 모습도 아빠와 닮았다고 한다. 며느리 친구가 찰떡이 보고 유아 모델을 하라고 했다고 기분 좋다고 하더니 이목구비가 또렷해서 유아 모델을 해도 손색이 없을 것 같았다. 잘 생겼다. 할머니가 팔불출이 되어도 좋다. 예쁜 걸 어쩌겠어. 할머니가 안아주니 불편한지 울려고 입을 삐죽삐죽한다. 얼른 할아버지가 안았다. 다시 편해졌다. 역시 힘센 할아버지 품이 편한가 보다.

난 아기를 안는 것이 서툴다. 우리 아들 둘도 친정어머니가 키워주셔서 아기를 자주 안아주지 못했다. 남편은 아기를 편하게 안아주고 잘 재운다. 찰떡이를 안고 있는 모습이 너무 안정적이다. 며느리가 우리 집이 가까우면 할아버지가 자주 안아주면 좋겠다고 한다. 쌍둥이 손자도 할아버지 팔에 안기면 금방 편해져서 울다가도 그쳤다. 남편은 할아버지를 닮은 손자가 너무 예뻐서 계속 안고 우유도 먹이고 잠도 재운다. 아들네가 집 가까이 살면 자주 돌봐 줄 텐데 아쉽다. 점심을 시켜 먹고 차도 마시고 찰떡이가 깨기를 기다렸다. 하지만 찰떡이는 잠이 깊이 들어 깰 줄을 모른다. 함께 놀아주려고 했는데 아쉬웠지만 모처럼 주말이라 아들과 며느리도 쉬어야 할 것 같아서 자는 모습만 보고 돌아왔다.

찰떡이가 우유도 잘 먹고 잠도 잘 자고 건강해서 너무 기쁘다. 그동안 아들과 며느리가 이만큼 키우느라고 너무 고생이 많았다. 생각했던 것보다 아들과 며느리가 육아를 잘하는 것 같아 마음이 놓였다. 요즘 인터넷으로 검색하면 정보가 넘치니 궁금한 것은 맘카페 등에서도 정보를 얻을 수 있다고 한다. 이제 12월 백일에나 만날 것이다. 그때까지 건강하게 잘 자라길 바란다.

오늘 찰떡이를 만나러 가는 길이 즐거운 가을 여행이 되었다. 찰떡이도 만나고 가을 여행도 하고 오늘 행복 하나가 더해졌다. 10월이 찰떡이 덕에 행복으로 기억될 것이다.

어버이날 금꽃을 받았다

5월 8일은 어버이날이다. 생일이 매년 돌아오듯 어버이날도 매년 돌아온다. 자식이었다가 세월이 지나 결혼하고 아이를 낳으면 부모가 된다. 아이가 자라면 어버이날에 카네이션을 달아준다.

아들이 유치원생이나 초등학생일 때는 만들어온 색종이 꽃과 삐뚤삐뚤한 글씨지만 손 글씨로 편지를 써서 주었다. 큰아들이 유치원 다닐 때 어버이날 처음 유치원에서 만들어온 색종이 꽃을 받았을 때 너무 기뻐 옷에 색종이 카네이션을 달고 출근하였다.

나는 퇴직하고 기간제 교사로 인근 초등학교에 나가고 있다. 2학년 담임이다. 우리 반도 카네이션과 편지를 써서 부모님께 보내드리려고 한다. 편지 속에 효도 쿠폰도 하나씩 넣어 드릴 예정이다. 미리 카네이션과 카드 재료를 주문했다. 예쁜 것 같은데 우리 반 학생들도 좋아하길 기대해 본다.

지난 5월 1일(2023년)에 큰아들이 찰떡이 준우를 데리고 집에 왔다. 그날 아들이 쉬는 날이라서 어버이날을 미리 당겨서 방문한 거다. 오랜만에 온 손자는 많이 컸다. 아직 8개월이 안 되었는데 누웠다가 혼자 일어나 앉고 물건을 잡고 일어섰다. 아직 기지 않는데 잡고 일어나서 옆으로 걷는다. 아빠를 닮았다.

큰아들도 아기 때 기지 않고 물건을 잡고 먼저 걸었다. 보통 아기가 돌 정도에 혼자 걷는데 큰아들은 한 달 5일 전에 걷기 시작했다. 즉 11개월 이전에 걸은 거다. 아무래도 손자도 일찍 걸을 것 같다. 이유식도 어찌나 잘 먹는지 너무 대견하다. 요즘 어린이 집에 다니고 있다. 일찍 어린이집에 가는 것이 처음에는 조금 안쓰러워 마음이 아팠는데 어린이집에서 잘 놀고 선생님도 좋아해서 지금은 안심이 된다.

큰아들 부부가 집에 오며 엄마 아빠 카네이션을 하나씩 사 왔다. 금 카네이션이다. 이런 카네이션은 처음 본다. 내 것은 스위치를 켜면 불도 반짝거린다. 카네이션도 정말 많이 진화하였다. 작년에 작은아들이 사 온 카네이션도 신기했는데 이번 카네이션은 더 멋졌다.

우리 집에 몇 년 동안 받은 카네이션이 쌓여있다. 생화는 시들어서 버리고 비누 카네이션과 작년에 받은 금 카네이션은 장식장에 넣어서 보관하고 있다. 가족 단톡방에 작은아들에게 올 때 카네이션은 형이 사 왔으니 사지 말라고 했다. 카네이션도 적은 돈이 아니기에 그 돈이라도 절약했으면 하는 마음이었다. 토요일 저녁에 만나서 저녁을 먹기로 했기에 미리 말해두었다.

우리 집 아들 며느리는 어버이날이나 명절에 용돈을 나와 남편에게 각각 따로 챙겨준다. 우리가 싸울까 봐 그러는 것은 아니겠지만 항상 그렇게 준다. 요즘 아이들 키우는데 돈이 많이 들어간다고 하는데 고맙다. 물론 오는 정이 있으니 가는 정은 듬뿍 담아주긴 한다.

어버이날인 월요일에 쌍둥이네가 일본 교토와 오사카로 해외여행을 간다. 쌍둥이는 돌 지나고 내 회갑 여행으로 제주도에 다녀왔으니 이번에 비행기를 두 번째로 탄다. 세계 여러 나라에 관심이 많은 지우는 4월부터 들떠 있다. 그래서 오늘 저녁에 만나 미리 식사하였다.

오늘 식사는 그냥 한식집에 가서 고기를 구워 먹었다. 손자도 고기를 좋아해서 고기와 밥을 주었는데 잘 먹었다. 올해도 아들 며느리와 어버이날을 잘 보냈다. 지난번 큰아들은 손자가 어려서 집에서 간단하게 차려서 시누이네를 불러 집에서 밥을 먹었다. 그래도 좋았다. 외식하던지, 집에서 먹든 먹는 것이 중요한 것이 아니고, 가족이 모이는 것이 중요하다.

두 아들과 며느리 그리고 손자와 어버이날을 뜻깊게 잘 보냈다. 선물도 받고 용돈도 받고 식사도 함께하며 아들 며느리에게 감사하다. 아들 며느리에게 바라는 것은 손자 잘 키우며 사이좋게 행복하게 잘 사는 거다. 다른 욕심은 없다. 우리는 아직 건강하기에 자식에게 의지하지 않고 잘 살 수 있다.

딸은 없지만, 며느리가 두 명이나 있어서 참 좋다.

밸런타인데이가 생일인 손자 선물

쌍둥이 손자는 2월 14일 밸런타인데이가 생일이다. 초콜릿을 주고 받으며 사랑과 정을 나누는 행복한 날이다. 그래서 더 의미가 있다. 주말에 쌍둥이가 오기 때문에 주말에 쌍둥이 생일 파티를 해주려고 한다. 케이크는 필수다. 쌍둥이는 케이크 촛불 끄는 것을 좋아하는데 케이크는 안 먹는다. 억지로 조금 먹여 보려고 해도 안 먹는다고 도망간다.

며칠 전에 지우가 초콜릿이 들어있는 과자를 한 입 베어 먹는 영상을 보내왔다. 이번에 혹시 먹을지도 몰라 쵸코 케이크를 준비하려고 한다. 다른 집은 과자와 음료수를 안 먹이려고 하는데 우린 과자를 어떻게든 먹여 보려고 한다. 간식을 잘 안 먹기 때문이다. 유치원에서도 간식을 안 먹는다고 한다. 그래도 요즘 쌍둥이가 꼬깔콘과 건빵은 조금 먹어서 주말에 혹시나 먹을까 싶어 사다 놓는다.

남편과 이번 쌍둥이 손자 생일 선물을 어떤 걸로 사 줄까 계속 고민을 하였다. 할아버지는 이제 다섯 살이니 보조 바퀴 달린 두발자전거를 사 주고 싶다고 한다. 벌써 지난주에 자전거 가게에 가서 보고 왔다고 했다.

"그냥 아무거나 사지 말고 쌍둥이 오면 데리고 쌍둥이 아빠랑 함께 가서 보고 사요."

미리 준비하지 말라고 신신당부를 했다. 안 그러면 성질 급한 할아버지가 덜컥 사서 배달하기 때문이다.

매년 생일과 어린이날에는 백화점에 가서 쌍둥이 옷을 사 주었다. 백화점에 다양한 브랜드가 있지만 요즘 캉골 브랜드 옷을 많이 사 주었다. 요즘 아이 엄마들이 선호하는 브랜드라고 했다. 캥거루 상표도 예쁘고 디자인이랑 색상이 예쁘다.

올해 생일에도 옷을 사 주고 싶었다. 어제 43년 지기 친구들을 만나고 오는 길에 중간에 남편을 만나서 백화점에 갔다. 백화점은 정말 오랜만에 갔다. 퇴직하고 처음 간 것 같다. 다시 서울 나오기 힘들어 오늘 서울 나간 김에 백화점까지 들르는 것이 좋을 것 같았다. 아동복 매장은 3층이라 바로 3층으로 올라갔다. 몇 군데 매장을 둘러보고 마음에 드는 옷을 찾았다.

오전에 서울 나오며 며느리에게 손자 옷 사이즈를 카톡으로 물어보았다. 120이 좋다고 했다. 그러며

"편하게 입을 수 있는 운동복 같은 것이 좋을 것 같아요."

라고 한다. 남자아이들이고 활동력이 많아서 내 생각도 같다. 그저 아이들 클 땐 편한 옷이 최고다.

쌍둥이라 옷을 꼭 두 벌 사야 한다. 어떤 때는 똑같은 것을 두 벌 사기도 하고 때론 디자인은 같지만, 색상이 다른 걸로 산다. 이번에는

디자인은 같은데 색상이 다른 편한 옷 종류로 두 벌 샀다. 그리고 조금 아쉬워서 2월과 3월에 운동복 위에 입으면 좋을 것 같은 점퍼도 샀다. 혹시 색상이나 크기가 안 맞으면 교환할 수 있도록 포장했다.

손자 옷을 살 때마다 기분이 좋다. 내가 사 준 옷을 입고 유치원이나 키즈 카페에 가면 행복하다. 며느리도 내가 사 준 옷이 예쁘다며 잘 입힌다. 오늘 산 옷도 마음에 들었으면 좋겠다. 남편이 쌍둥이 옷이 든 쇼핑백을 들고 걸으며 나보다 더 신나 한다. 우린 손자에게 무엇이든 아낌없이 주고 싶어 한다.

나는 쇼핑하는 것을 좋아했다. 심지어 아이 쇼핑도 좋아했다. 그러나 요즘 쇼핑을 자제한다. 퇴직하고 절약해야 한다는 생각이 그렇게 만든다. 사고 싶은 것도 별로 없다. 옷에도 다른 물건에도 욕심이 없다. 특별하게 살 물건도 없는데 백화점을 순회하기엔 시간도 아깝고 체력이 부족하다. 손자 옷만 사고 바로 지하철을 타러 내려왔다.

이제 토요일에 자전거 가게에 가면 된다. 다녀오며 케이크도 사 와야겠다. 오늘 저녁에 올 쌍둥이 손자가 기다려진다.

"할머니, 지우 연우 왔어요."

하고 문을 열고 들어올 손자를 설레는 마음으로 기다려본다.

토요일에 자전거 가게에 가서 자전거도 두 대 샀다. 보조 바퀴가 달린 두발자전거다. 배달은 손자네 집으로 했다. 다치면 안 되어 무릎 보호대도 샀다. 나란히 자전거 타고 아파트 단지 둘레길을 달릴 손자가 눈에 선하다.

"지우 연우, 다섯 번째 생일 축하해.
올해도 아프지 말고 건강하고 행복하게 잘 지내렴."

행복 더하기, 여름휴가

어렸을 때 소풍 가기 전날 엄마가

"내일 일찍 일어나야 하니까 오늘은 일찍 자렴."

하며 재촉하던 기억은 모두 가지고 있을 거다. 엄마가 재촉해도 소풍 준비물을 넣었다 꺼냈다, 입고 갈 옷 챙기라 분주했다. 일찍 자려고 해도 통 잠이 안 왔다.

2022년 8월 초 휴가 날짜가 다가왔다.

다음날 새벽에 일어나 늦어도 6시 20분에는 출발을 해야 해서 남편이 엄마처럼 재촉한다.

"내일 일찍 일어나야 하니까 일찍 주무시죠?"

일찍 누웠다. 하지만 소풍 가는 전날처럼 통 잠이 안 온다. 설레기 때문일까 기대가 크기 때문일까. 비가 많이 내리지 않을까 걱정도 된다. 자는 둥 마는 둥 하다가 빗소리에 새벽에 깼다. 비가 주룩주룩 내린다. 오늘 남해는 비가 안 올까.

서둘러 준비하고 캐리어를 끌고 우산을 쓰고 무섭게 내리는 비를 뚫고 집을 나섰다.

2019년 추석에 북경 여행을 다녀오며 이제부터 여행은 남편과 가기로 다짐했었다. 이번 휴가는 교총 회원들을 위한 힐링 연수에 참가하기로 했다. 정말 퇴직 전 마지막 연수이다. 요즘 거의 모든 것에 마지막이란 의미를 부여한다. 곧 그 말도 안 쓰게 되겠지. 이번 연수의 좋은 점은 가족도 함께 갈 수 있다는 거다. 여행지는 진주, 거제, 통영으로 남편도 가보고 싶은 곳이라 기대가 된다.

아침 8시에 광화문에서 전세버스를 탔다. 교대역에서 다른 회원들을 태우고 진주로 출발했다. 휴가철이라 길이 많이 막힐 것을 각오했지만 버스 전용도로로 달려서인지 4시간 30분 만에 진주에 도착했다. 점심 먹기에 딱 좋은 시간이다. 점심 메뉴는 냉면으로 하연옥이란 냉면집에 갔다. 주차하려는 차들이 길게 서 있는 걸 보니 맛집인 것 같다. 예약도 안 되는 식당이라 대기 줄이 길다. 한쪽 창구에 특이한 안내문이 붙어있다.

'좌석 배치하는 곳'

다른 곳에서는 보지 못한 명패다. 대기하는 곳에 푹신한 소파가 넓게 놓여 있었다. 평소에도 대기하는 사람이 많은 이유라는 생각이 든다. 조금 기다린 후에 좌석을 배치받아 냉면을 먹었다. 맛은 있었다. 줄 서는 집은 다 이유가 있다.

첫 번째 일정으로 진주성을 방문했다. 화려한 배롱나무꽃과 매미 소리가 먼저 반겨주었다. 서울에서 출발할 때 쏟아지던 폭우는 깨끗하게 멈추고 대신 불볕더위가 찾아왔다. 푹푹 찐다는 말이 딱 맞는 날씨다. 그런데 놀라운 일이 벌어졌다. 촉석루에 신발을 벗고 오르자 에어컨

바람보다 더 시원한 바람이 남강을 타고 불어왔다. 돗자리라도 깔고 해질 때까지 누워있고 싶었다. 떠나고 싶지 않았지만, 반대편에 있는 국립진주박물관으로 발길을 옮겼다. 임진왜란 때 사용했던 무기와 거북선 모형을 보며 지난 주말에 관람했던 '한산, 용의 출현'의 감동이 살아났다.

진주성을 뒤로하고 4월 말에 다녀왔던 통영 케이블카를 타러 갔다. 지난번 통영에서 있었던 이순신 리더십 연수와 겹치는 곳이 케이블카뿐이라 너무 다행이다. 비 갠 후라서 그런지 케이블카로 미륵산을 오르는데 구름 속을 뚫고 지나갔다. 운치는 있었지만 미륵산 정상에서 통영의 바다와 섬이 어우러진 아름다운 경치를 볼 수 없는 것이 아쉬웠다. 같은 장소를 여러 번 방문해도 계절, 날씨, 함께 간 사람에 따라 느낌이 다르기에 같은 곳을 여러 번 방문해도 좋다. 익숙한 느낌도 반갑고 친근하게 여겨져서 좋았다.

두 번째 날은 거제 일정이었다. 제주도 다음으로 큰 섬 거제는 오래전에 방문한 적이 있는데 겨울에 방문해서 동백꽃을 보았던 것만 기억난다. 너무 오래되어 기억나는 것이 별로 없어 오히려 기대가 많이 되었다. 폭염경보가 내려져서 너무 더웠지만, 부지런히 다니며 눈과 가슴에 담았다.

거제 포로수용소는 한국전쟁 때 사로잡힌 조선인민군, 중공군, 빨치산 등을 수용했던 시설이다. 가장 많을 때는 15만 3천 명까지 수용했었다고 한다. 가기 전에는 실내인 줄 알았는데 산 중턱에 자리 잡은 유적 공원은 그 규모가 대단했다. 모노레일을 타고 관람할 수도 있었는데 시간이 안 맞아 도보로 둘러보았다. 그 많은 포로를 먹이고, 입히고, 재우고, 교육하기 위해 얼마나 힘들었을까. 포로들은 자유가 없었으니 더 힘들었을 테고. 한국전쟁 같은 비극이 다시는 일어나지 않기를 바란다.

포로수용소를 뒤로하고 신선대와 바람의 언덕으로 이동했다. 바람의 언덕 가는 길은 덥고도 너무 더워 중간에 아이스 아메리카를 한잔 마시고야 발걸음이 떼어졌다. 휴가철이라 사람이 북적였다. 바람의 언덕 풍차는 가까이에서 보는 것보다 멀리서 보는 것이 더 아름다웠다. 풍차도 풍차였지만 바람의 언덕 아래 바다색이 너무 예쁘다. 물에 청록색 잉크를 풀어놓은 것처럼 신비해서 자꾸 바라보게 된다. 거기다가 구름이 떠 있는 하늘과도 너무 잘 어울렸다.

너무 더워 구조라 해변 산책은 패스하고 카페에서 쉬었다가 유람선을 타고 외도로 향했다. 바다의 금강산인 해금강 절경을 보며 1시간 정도 걸려서 외도 보타니아에 도착했다.

외도 보타니아는 섬 전체가 정원으로 가꿔져 있었다. 주제별로 다른 나무와 식물이 있고 어느 곳 하나 흐트러짐이 없었다. 나무 전지를 멋지게 해서 바라보는 것만으로도 즐거움을 주었다. 마치 나무가 막 미용실을 다녀온 듯한 느낌이다.

정원 입구부터 왠지 스페인이 생각나게 하는 건 무엇 때문일까? 타일로 장식한 쉼터(?)는 바르셀로나의 구엘 공원이 연상되고 입구의 병풍 같은 뾰족한 나무는 알람브라 궁전 입구에서 본 사이프러스 나무 길이 생각났다. 꼭대기쯤에 있는 비너스 정원도 알람브라 궁전의 중앙 정원이 연상되었다. 이 느낌은 나만 그런 걸까.

언덕이 많아 힘들었지만 안 보고 가면 후회될 것 같아 관람로를 따라 전망대까지 올라갔다가 내려왔다. 부부의 노력으로 섬 전체를 이렇게 멋진 정원으로 가꾸었다니 너무 놀라웠다. 더군다나 두 분이 교사 출신이라고 해서 존경심이 저절로 느껴졌다. 특히 여자분은 대학 선배님이시라 애정이 진하게 느껴졌다. 폭염 때문에 땀을 많이 흘렸지만, 거제의 다양한 매력에 빠진 하루였다.

휴가 마지막 날, 지난번 다녀온 통영 연수 후에 다음에 통영을 방문하면 꼭 가보고 싶었던 동피랑 벽화 마을 가는 날이다. 벽화 마을이라고 하니 어떤 그림으로 방문객을 사로잡을까 기대가 된다. 동피랑은 동쪽 벼랑이라는 지역 방언이라고 한다. 오목조목 골목을 오르며 벽화를 감상해야 하지만 더운 날씨 탓에 친절하신 버스 기사님이 마을 위쪽에서 내려주셔서 오르는 것은 생략하고 반대로 내려오며 벽화를 감상했다. 아기자기한 벽화들이 자기 멋을 자랑하며 마을 벼랑 담에 그려져 있었다. 전망대까지 오르며 벽화를 감상하니 마음이 부자 된 기분이다.

마지막 오찬으로 굴 요리 전문점 영빈관에서 굴 정식을 먹고 즐거운 맘으로 서울로 향했다. 2박 3일 휴가를 잘 보내고 행복 하나를 더했다.

이 힘으로 퇴직 후의 삶도 잘 살아내리라 다짐해 본다.

9개월 만에 걷는 장한 손자

"준우가 오늘 열한 발짝 걸었어요. 이렇게 빨리 걷는 아가는 준우가 처음입니다."

어린이집 선생님께서 사진과 함께 올려주신 글이다.

태명이 찰떡이었던 준우는 6월 8일이 9개월이 되는 날이다. 2022년 9월 8일에 태어났다.

출산예정일 1주일 전에 병원에 다녀와서 며느리가 전화했다. 찰떡이가 아직 나올 준비를 안 한다고 한다. 엄마 뱃속이 너무 좋은가 보다. 아무래도 날짜 다 지켜 출산예정일 딱 맞추어 나올 것 같다.

"찰떡아, 많이 보고 싶지만 조금만 기다릴게. 엄마와 찰떡이 모두 건강하게 순산하길 할머니는 매일 기도한단다."

2022년 9월 일이다.

9월 2일 예정일이 지났는데도 진통이 오지 않아 병원 검진 후 9월 6일에 입원 예약하고 아들과 며느리는 초조하게 주말을 보냈다. 아기가 크면 출산할 때 산모가 매우 힘들 텐데 걱정이 되었지만 내가 해

줄 수 있는 것은 기도밖에 없었다. 9월 6일에 입원했다고 연락이 왔다. 너무 걱정하지 말고 마음을 편하게 가지라고 안심을 시켜주긴 했으나 큰며느리와 아들이 걱정되어 교회 권사회와 교구에 중보 기도 부탁을 하였다. 순산하여 산모도 건강하고 찰떡이도 건강하게 만나기를 기도하였다.

입원하고 큰며느리는 링거를 꽂고 큰아들과 계속 병원 복도를 걸었다. 그러나 찰떡이는 엄마 배에서 꼼짝을 안 해 유도 분만까지 했지만, 어려워 결국 수술하게 되었다. 드디어 9월 8일 0시 40분에 3.6킬로 왕자님이 태어났다. 머리숱도 많고 한 달은 지난 아기처럼 똘똘하였다.

'요즘 아기들은 뱃속에서 조기교육 받고 나온다.'라고 하는 말이 맞는 것 같다.

예정일을 넘겨서 태어나서인지 준우는 우유도 잘 먹고 쑥쑥 자랐다. 배밀이도 빨리하고 뒤집기도 다른 아가들보다 일찍 하였다. 이유식을 먹기 시작하자마자 어찌나 잘 먹는지 먹여주는 엄마 손이 느린 것만 같았다. 이유식을 입에 넣어주면 다음 숟가락을 뜨기 전에 바로 먹어 치웠다. 몸무게도 또래 아기 중에 상위 5% 안에 든다고 했다.

어느 날 갑자기 소파를 잡고 일어섰다고 하더니 조금 지나자 물건을 잡고 옆으로 이동한다고 했다. 기지 않고 걷기를 먼저 하였다. 그러더니 8개월이 지나고 기기 시작했는데 기는 모습이 참 엉거주춤하였다. 두 무릎을 땅에 번갈아 대며 기어야 하는데 한쪽 무릎을 살짝 들고 기어 다녔다.

자기가 가고 싶은 곳으로 이동할 수 있어서 바빠졌다. 6월 들어서서 어린이집 선생님께서 준우가 한 발짝 걸었다고 하셨다. 언제 걸을까 기다렸는데 드디어 6월 13일에 열한 발짝을 걸었다고 하였다. 아직 준우도 조심해서 걸으려고 해서 더 이상 진도는 나가지 않았다. 그래도 장하다.

준우 아빠도 아기 때 기지 않고 먼저 걸었다. 소파를 잡고 벽을 잡고 집안을 누볐다. 그러다 10개월 25일에 걷기 시작했다. 아빠도 빨리 걸은 셈이다. 준우 기는 모습이 예전 준우 아빠 어릴 때 기던 모습과 똑같다. 부전자전은 이럴 때 쓰는 말인 것 같다.

준우가 성장이 빠른 것은 운동하는 엄마 아빠의 영향이 클 것으로 생각한다. 엄마 아빠가 프로골퍼다. 다음으로는 예정일을 꽉 채워서 크게 태어난 영향도 있을 것이다. 우유와 이유식을 잘 먹어서 영양 상태가 좋은 것도 이유일 것 같다.

준우는 다운이를 좋아한다. 다운이는 집에서 기르는 8살 강아지다. '아름다운'에서 따서 이름을 다운이라고 지었다. 다운이는 아주 순하고 훈련이 잘되어 있어서 준우 옆에서 준우가 노는 것을 지켜본다. 준우도 다운이가 있으면 안정적으로 잘 논다. 처음에는 신생아와 강아지를 함께 키우는 것이 바람직한가 걱정을 조금 하였다. 하지만 그건 기우였다. 다운이는 준우 물건도 밟지 않고 피해서 걸어 다녔다. 참 영리하다.

준우는 올 3월부터 어린이집에 다닌다. 9월부터 다닐 예정이었는데 갑자기 아기 한 명이 이사 가는 바람에 자리가 있다고 예약해 놓은 어린이집에서 연락이 왔다. 어린이집 보내긴 조금 빠른 것 같아 고민하다가 원하는 어린이집이라 자리 있을 때 보내기로 했다. 0세 반은 교사 한 명이 아기 3명을 돌본다. 선생님께서 정말 엄마 맘으로 잘 돌봐 주셔서 준우가 잘 따른다. 너무 감사하다.

며느리가 보내준 사진을 보면 사진의 아기 중 준우가 제일 어린데 가장 크다. 잡고 서는 것도 안정적이고 벌써 걷기 시작했다. 엄마 아빠 닮아서 운동 신경이 좋다. 가까이 살면 자주 볼 텐데 거의 두 달에 한 번 정도 본다. 그래도 어린이집에도 잘 다니고 튼튼하게 자라서 좋다. 잘 만나진 못하지만, 영상통화도 하고 늘 사진과 영상을 봐서 그래도 낯설지 않다.

곧 손자 준우와 만날 예정이라 가슴이 설렌다. 아장아장 걷는 모습이 얼마나 귀여울까 벌써 입가에 미소가 지어진다.

저녁마다 설거지하는 남자

5월 말부터 지금까지 저녁마다 설거지하는 남자가 있다. 벌써 한 달 정도 되었다. 덩치도 큰데 고무장갑도 안 끼고 어찌나 오래 싱크대 앞에 서 있는지 모르겠다. 뽀드득뽀드득 소리 나게 깨끗하게 닦아서 가지런히 건조기에 세워 놓는다.

4월부터 왼쪽 엄지손가락이 아팠다. 그냥 조금 지나면 괜찮겠지 생각하고 크게 신경 쓰지 않았다. 1주일이 지나고 2주일이 지났는데도 좋아지지 않았다. 오히려 더 아픈 것 같아 5월 둘째 주에 정형외과를 방문했다. 정형외과에 가면 언제나 X-Ray를 먼저 찍는다. 그날따라 환자가 많아서 1시간 이상 기다렸다가 의사 선생님 진료를 받았다. X-Ray 결과 관절염이라고 했다.

그날부터 약을 먹고 물리치료를 시작하였다. 물리치료는 파라핀 치료와 레이저 치료이다. 1주일 후 다시 의사 선생님을 뵙고 왼쪽 엄지손가락 가까운 손등에 염증 주사를 맞았다. 너무 아팠다. 다시는 안 맞고 싶은 기분 나쁜 아픔이었다. 약을 먹고 파라핀 치료를 계속하였다. 주사를 맞은 후에 통증이 조금 덜해졌다. 전체 아픈 숫자가 10이라고 하면 4정도 되는 것 같았다. 아침저녁으로 약도 잘 챙겨 먹고 매일 한 번씩 파라핀 치료를 했다.

남편이 선견지명이 있었는지 5월 초에 파라핀 치료기를 주문했다. 남편도 오른손에 힘이 좀 없어서 젓가락질하기가 불편하다. 집에서 치료받아보려고 샀다고 한다. 남편은 음식점에 가면 꼭 나무젓가락을 달라고 해서 식사를 한다. 병원에 가보라고 해도 안 간다. 물론 예전에 서울대 병원까지 가서 진료받았지만 크게 달라진 것도 없고, 특별한 치료 방법도 없기에 그냥 병원 가도 소용없다고 생각하는 것 같다. 파라핀 치료기를 사고 열심히 치료할 줄 알았다. 남편은 사다 놓고 상자를 개봉하지도 않고 구석에 놓아두었다. 그럴 거면 왜 샀냐고 잔소리를 하였다.

그러다가 내가 병원에서 파라핀 치료를 하게 되었다. 염증 주사를 맞은 후 의사 선생님께 집에 파라핀 치료기가 있다고 말씀드렸더니 1주일 동안 약 먹고 치료는 집에서 하고 1주일 후에 병원에 오라고 했다. 남편이 사놓은 파라핀 치료기를 꺼내주었다. 파라핀을 넣고 전기를 연결하면 파라핀이 녹았다. 제품에 들어있는 파라핀양이 적어서 파라핀이 손목까지 올라와야 하는데 겨우 손등을 덮을 정도였다. 파라핀 3개를 추가로 주문하였다. 남편이 정말 자상하게 챙겨준다. 그런 남편이 든든하고 참 고맙다.

파라핀 치료를 한 후 1시간 동안 손을 씻지 말라고 했다. 저녁에 일을 다 끝내고 세수까지 하고 자기 전에 매일 파라핀 치료를 하였다. 조금 뜨겁지만 참을만하다. 주사를 맞아서인지 파라핀 치료 덕분인지

손가락이 조금 좋아졌다.

고민하다가 2주 후에 염증 주사를 한 번 더 맞았다. 첫 번째 맞을 때보다 더 아팠다. 눈물이 찔끔 났다. 그런데 1주일 동안은 주사 맞기 전보다 더 아팠다. 괜히 맞았나 싶었다. 그래도 시간이 지나면서 조금씩 좋아졌다. 너무 다행이다. 물론 치료도 치료지만 일상생활에서 엄지손가락을 사용하지 않으려고 노력하였다. 왼쪽 엄지손가락을 여왕 모시듯 보호한다.

5월 말부터 손가락 관절염으로 설거지를 하지 않았다. 설거지하려면 왼손 엄지손가락을 꼭 사용해야 한다. 아침은 간단하게 먹고 점심은 직장에서 먹기에 저녁만 함께 먹는다. 저녁 준비도 남편이 많이 했다. 요즘 남편 별명이 서 세프다. 텔레비전에서 요리 프로그램을 자주 보더니, 요리에 관심을 가지게 되었다. 본인이 응용을 잘한다며 괜찮은 요리를 뚝딱 만들어 내놓았다. 사실 요즘 우리 집 냉동실에 홈쇼핑에서 주문한 상품이 쌓이고 있다. 남편이 홈쇼핑을 보다가 맛있어 보이면 주문하기 때문이다.

저녁 식사도 남편이 퇴근하면 같이 준비한다. 나는 주로 냉장고에 있는 반찬을 꺼내 상을 차리고 메인 요리는 남편이 주로 만든다. 냉동실에 있는 떡갈비도 굽고 부대찌개도 끓인다. 간단하게 고기를 구워 먹기도 하고 두부를 구워 두부김치도 해 먹는다. 저녁을 먹은 후에 뒷정리하고 난 후에 설거지는 매일 남편이 한다. 저녁 먹고 가장 하기 싫은 게 설거지인데 한 달 이상 남편이 설거지를 해 주었다. 처음에는 너무 편하고 좋았는데 요즘 미안한 생각이 든다.

어제는

“고마워요. 6월까지만 하면 7월부터는 내가 할게요.”

라고 말했다.

요즘 손가락이 많이 좋아졌다. 물론 완전하게 나은 것은 아닌데 설거지 정도는 할 수 있다.

무리하면 다시 나빠질 수 있어서 평소에 가능하면 왼쪽 엄지손가락 사용을 조심해야 한다. 어쩌면 앞으로 계속 치료하고 조심하며 살아야 할 수도 있다. 그래도 7월부터는 저녁 설거지는 내가 해 보려고 한다.

그동안 설거지해 준 남편이 오늘따라 고맙게 느껴진다.

남편이 주문한 장화를 반품했다

이번 주 화요일(2023년 7월 10일)에 아침부터 비가 내렸다. 그렇게 많이 쏟아지는지 모르고 보통의 작은 우산을 들고 출근하였다. 퇴직하고 인근 초등학교에 기간제 교사로 나가기 때문이다. 엘리베이터에서 내려 현관 밖을 보니 바람도 불고 장난이 아니었다. 다시 올라가서 큰 우산으로 바꾸어 올까 하다가 전철역까지만 가면 될 것 같아 그냥 나갔다. 완전 장대비였다. 아파트 벚나무길을 지날 때는 나무가 비를 막아주어 괜찮았다. 벚나무길을 벗어나자 빗소리가 요란했다. 에코백을 어깨에 메고 가능하면 가방이 젖지 않도록 우산을 머리 가까이에 썼다. 요즘 출근할 때 주로 에코백을 가지고 다닌다. 퇴근하며 슈퍼에서 장을 봐 오기도 편리하다. 약속이 있는 날만 핸드백을 들고 다닌다. 전철역까지는 멀지 않아서 옷이 그리 젖지 않았다.

기간제 교사로 나가는 학교까지는 세 정거장이다. 전철에서 내려서 역사 밖으로 나갔는데 아뿔싸 출발할 때보다 비가 더 세차게 내렸다. 몇몇 분이 빗속으로 나갈 엄두가 안 나는지 그대로 서 있었다. 나도 잠시 장대비를 쳐다보고 서 있다가 지각하면 안 되기에 작은 우산을 들고 빗속으로 들어갔다. 전철역에서 학교까지는 얼마 안 되기에 우산을 몸에 밀착하고 걸었다. 5분도 안 되는 거리였는데 바지 아랫부분이 다 젖었다.

오후에 가족 단톡방에 며느리가

"오늘 복날이라는데 보양식 드셨어요?"

초복 이야기하다가 비 이야기를 하게 되었다. 오늘이 초복이었다.

"비가 온종일 오네. 아침에 출근할 때 바지 아래가 다 젖었는데 집에 갈 때 한 번 더 젖겠어."

라고 올렸다.

남편에게서 전화가 왔다.

"요즘 비 오는 날 여성분들이 장화 많이 신던데. 장화 사 줄까?"

"좋지요."

신발 사이즈까지 알려주었는데 잊어버렸다.

며칠 후에 퇴근 시간이 맞아서 남편과 전철역에서 만나서 함께 퇴근하였다. 퇴근했는데 문 앞에 택배 상자 두 개가 놓여 있었다. 하나는 어제 홈쇼핑 보다가 남편이 주문한 바닷가재이고, 하나는 무엇일까 궁금했으나 물어보지 않고 그냥 집으로 들어갔다. 우리 집 남편 같은 사람이 있어서 홈쇼핑이 잘 될 거로 생각한다. 옷 갈아입고 거실로 나왔는데 커다란 장화가 있었다. 진갈색 장화였다. 신어보았더니 잘 맞았다. 그런데 색깔도 내가 싫어하는 색이고 너무 긴 장화여서 마음에 안 들었다. 무거워서 걷기도 불편할 것 같았다.

"내 장화를 사려면 나한테 물어보고 주문하지."

남편이 화요일에 쿠팡에서 주문하였다고 한다. 다른 색도 있냐고 물어보니 블랙과 딥그레이가 있다고 했다. 딥그레이로 교환할까 하다가 아무래도 안 신을 것 같아서 반품하면 좋겠다고 했다. 요즘 패션 장화도 많은데 하필 말 장화 같은 걸 주문했나 싶었다.

남편은 가끔 물어보지 않고 홈쇼핑을 보다가도 내 옷을 주문해 준다. 마음에 드는지 물어보고 사 주면 좋은데 도착해서야 알게 된다. 마음에 들 때도 있지만 마음에 안 들어도 성의가 괘씸해서 그냥 입는다. 하지만 나는 내 마음에 들어야 옷도, 신발도 잘 착용한다. 마음에 안 드는 것은 성의로 한 두 번 입고 안 입게 되어 아깝다.

장화는 자주 신는 것이 아니다. 한 번 사면 오래 신을 것이라 마음에 드는 것으로 사고 싶다. 남편에게 반품이 가능하면 반품 신청하라고 했다. 쿠팡에 전화했더니 반송료 6,000원을 내야 한다고 했다. 남편은 순간 기분이 안 좋아졌다. 매달 월정 회비를 받으면서 반품비를 따로 받는다고 하니 화낼만하다. 그것도 6,000원이면 좀 많다.

남편이 비 오는 날 바지 젖었다는 말을 듣고 생각해서 사 준 장화였는데 많이 미안했다. 옷이 젖지 않으려면 긴 장화를 신어야 한다고 생각한 것 같다. 그냥 신는다고 할 걸 그랬나 잠시 생각했다. 지금 생각해도 여름에 몇 번이나 신을지 모르지만 긴 장화를 신발장에 그냥 세워 두는 것보다 반품하길 잘했다.

이제 비 오는 날 사람들 발만 볼 것 같다. 어떤 장화를 신고 다니는지 나도 남편도 관찰하게 될 거다. 올여름 장화를 다시 살지 모르지만 가볍고 너무 길지 않은 예쁜 장화를 사고 싶다. 그래도 내 생각을 해준 남편이 무척 고맙다. 어제부터 비가 많이 내린다. 그냥 신을 걸 그랬나 조금 후회가 된다.

남편이 장화를 다시 주문했다

7월에 남편이 주문한 장화를 반품하였다. 색상도 마음에 안 들고 너무 긴 장화라 무거워서 자주 신을 것 같지 않아서였다. 남편이 생각해서 주문한 장화였는데 미안했다. 그것도 반송비를 6,000원이나 물고 반품하였으니 남편 기분이 많이 상했을 거다. 하지만 장화는 가끔 신는 신발이라 한 번 사면 오래 신어야 한다. 가장 중요한 것이 마음에 들어야 한다. 그 후에 나름대로 인터넷에서 장화를 검색하였지만, 마음에 드는 것이 없었다. 장화 사는 것은 포기하고 내년에 사야겠다고 마음먹었다.

지난주에 안방에서 쉬고 있는데 거실에서 TV를 시청하던 남편이 불렀다. 무슨 일인가 싶어 나와보니 홈쇼핑에서 장화를 판매하고 있었다. 쇼 호스트는 언어의 마술사라 마음을 늘 빼앗는다. 관심이 있는 상품이라 집중하여 보았다. 가격도 그렇고 색상도 원하는 색이 있었다. 계속 쇼 호스트를 따라 보다가 주문해야겠다는 결심이 섰다. 홈쇼핑 앱을 찾아서 베이지 230cm로 주문하였는데 그 상품은 품절로 주문할 수 없었다. 인기 많은 상품인 것 같아 아쉬웠다. 왠지 나와 장화는 인연이 없는 것 같다. 그래도 혹시 몰라 재입고 알림 신청을 해 두었다.

어제부터 수도권에 태풍으로 비가 많이 내렸다. 지금은 방학이라 비를 뚫고 나갈 일이 없어서 온종일 집에만 있었다. 태풍이 지나가면 비가 올 일도 많지 않아 장화 신을 일도 없다. 그저 TV 재난 방송을 시청하며 지난번 비처럼 인명 피해 등 피해가 없기를 바랐다. 정부에서도 대비하였을 테고 국민도 지난번 사고로 놀라서 조심하였을 거다. 조심하고 예비한다고 자연재해를 다 완벽하게 막을 수는 없겠지만 줄일 수는 있지 않을까 하는 생각이 들었다. 온종일 재난 문자가 딩동거린다. 재난 문자가 하도 많이 오니 읽어보지도 않고 확인 버튼을 눌렀다.

시골에 사는 동생에게 전화해서 안부를 물었다. 이번 비가 강원도에 집중적으로 많이 내렸다고 한다. 태풍으로 애써 지은 농사를 망칠까 봐 걱정되었다. 다행히 뒤에 산이 있고 지대가 높아서인지 비 피해는 없다고 했다. 그래도 농사지은 것을 망칠까 봐 걱정이라고 한다. 농사는 사람 힘으로만 가능한 것이 아니다. 자연이 도와주어야 풍작을 거둘 수 있다. 태풍이 어서 지나가고 맑은 하늘을 보았으면 좋겠다. 이번에도 농작물이 피해를 많이 보았다고 한다. 농부의 심정을 다 헤아릴 수 없지만, 정부에서라도 보상을 잘해주길 기대해 본다.

핸드폰으로 알림 문자가 왔다. 지난번에 재입고 신청해 두었던 홈쇼핑에서 장화가 재입고되었다는 알림이다. 태풍도 지나가고 곧 가을이 올 텐데 이제 장화가 필요할까 생각하다가 남편에게 지난번에 주문 못한 장화가 재입고되었다고 말했다. 남편이 사 준다고 했다. 언제 신어도 신을 수 있으니 장화 하나 정도는 있으면 좋을 거라고 했다.

지난번에 신청하려던 베이지색 230cm를 주문해 주었다. 이 제품은 장화 사이즈가 10cm 단위라서 평소에는 235cm를 신는데 반 사이즈는 아래로 내려가라고 했다고 남편이 알려주었다. 카키색과 블랙, 레드도 있었는데 어느 옷이나 잘 맞는 베이지색을 선택했다. 빨간색이 순간 눈에 들어왔지만 참았다. 조금 밋밋할 수는 있지만, 이 나이에 너무 튀는 것도 쑥스러울 것 같다. 화면으로 보면 괜찮은 것 같은데 실제 모습도 예뻤으면 좋겠다.

주문해 놓은 장화를 기다린다. 주말이라서 다음 주에나 배달될 것이다. 장화가 비 오는 날 발과 옷 젖지 말라고 신는 신발인데 특별한 디자인이 없겠다는 생각이 들었다. 너무 무겁지 않고 발이 편하면 된다. 이번에는 함께 보고 주문했으니 발만 편하면 반품하지 않고 그냥 신으려고 마음먹었다.

일주일 후에 장화가 도착했다. 택배 상자를 열고 꺼냈는데 생각했던 것만큼 예뻤다. 너무 길지 않았고 착용감도 좋았다. 비오는 날 원피스 입고 장화 신고 출근할 생각으로 요즘 비 오기를 기다린다. 집중 호우처럼 많이 내리지 말고 하루만 잠깐 내렸으면 좋겠다.

지난번에 남편이 주문해 준 장화를 반품해서 미안했는데 남편도 다시 주문한 장화가 예쁘다고 했다. 반품하고 다시 사길 잘했다.

쌍둥이 손자 덕에 다녀온 롯데 타워

8월 15일 광복절이다. 광복절 의미를 새겨야 하는 날인데 태극기 다는 걸로 내 임무를 다했다고 생각했다. 그저 달력에 있는 빨간 글씨가 반갑다. TV에서 광복절 기념식을 시청하며 쌍둥이 손자가 오길 기다렸다.

어제 며느리한테서 전화가 왔다. 쌍둥이 손자가 롯데타워에 가고 싶다고 하는데 같이 가자고 했다. 롯데타워가 생긴 지 꽤 오래되었는데 나도 남편도 아직 다녀오지 못했다. 안 가본 곳이라 한번 다녀오고 싶어서 함께 가자고 약속하였다.

남산타워도 여러 번 다녀왔고, 63빌딩에도 많이 다녀왔다. 잠실 롯데백화점과 롯데월드도 많이 다녀왔는데 롯데타워에는 가보지 못했다. 일부러 갈 정도로 호기심이 생기지 않았다. 나이가 들었다는 증거다.

커피와 토스트로 간단하게 아침 식사를 하고 아들 차를 타고 출발하였다. 오늘이 공휴일이라 올림픽 도로가 많이 막힐 것을 각오하였다. 신기하게 잠실 방향 도로는 막히지 않았고 오히려 반대쪽 길이 서행이다. 올림픽 도로를 달리는 것이 참 오랜만이다. 퇴직 전에는 출근

길이었는데 이젠 여행길이 되었다.

길 가장자리에 피어 있는 능소화와 배롱나무꽃을 보며 아직 여름이 머물러 있음을 느낀다. 광복절이라 그런지 흰색, 분홍색 무궁화꽃이 자꾸 눈에 들어온다. 우리 나라꽃 무궁화를 오늘 많이 본다.

쌍둥이 손자는 신났다. 가는 길에 63빌딩을 보고

"할머니, 63빌딩 몇 층이에요"

"63빌딩이니까 63층이지."

"아닌데, 63빌딩은 60층이고 지하 3층까지 있어요"

"그렇구나, 지우 연우 똑똑하네."

난 63빌딩을 63층으로 알았다.

쌍둥이 손자는 핸드폰으로 지도검색을 하면 아파트와 건물 보는 것을 좋아한다. 동네 아파트 이름뿐만 아니라 서울의 다른 동네 아파트도 잘 안다. 참 신기하다. 한강대교쯤 갔는데 멀리 롯데타워가 흐릿하게 보인다. 롯데타워 꼬다리만 보인다며 좋아한다. 꼬다리란 말은 누구에게 배웠는지 잘도 써먹는다. 롯데타워가 크게 보이자 환호성이다.

길이 막히지 않아서 롯데타워에 일찍 도착했다. 문제는 주차장에서 발생했다. 지하 6층 주차장 중 주차 가능한 곳이 지하 6층만 남아 있었다. 앞차를 따라 아주 천천히 내려가는데 쌍둥이 손자가 지루한가 보다. 화장실도 다녀와야 하는데 주차하려면 시간이 좀 더 필요해 보였다. 하는 수 없이 둘째가 휴대용 소변기에 해결했다. 옛날 우리 아들 키울 때는 1,000밀리 우유 팩을 말려서 가지고 다녔는데 휴대용 소변기가 있어서 다행이다. 아이들 어렸을 때 여행을 참 많이 다녔는데 세월이 빠르다. 내가 할머니가 되어 손주와 여행을 다닌다.

전망대 표 사는 곳을 찾아서 올라가는데 사람이 정말 많았다. 우리처럼 공휴일이라 시원하고 가까운 곳으로 나들이하러 온 사람일 거로 생각한다. 키오스크에서 전망대 표를 샀다. 며느리가 척척 잘했다. 지하 1층에서 엘리베이터를 타고 118층까지 올라갔다. 올라가는 엘리베이터는 사방이 막혀 있어서 밖은 보이지 않았다. 도착하는데 딱 1분 걸렸다.

118층에 도착하니 관람객이 많았다. 아이들과 온 부모가 많았다. 어, 텔레비전에서 본 스카우트 대원이 꽤 많이 보인다. 영국 대원들이다. 어른도 있고 학생들도 있다. 이상하게 반가웠다. 쌍둥이 손자도 신났다. 아래로 내려다보이는 건물들을 신나서 살펴본다. 롯데월드 매직 아일랜드가 아주 작게 보였다. 남산타워도 보이고 지도에서 보았던 아파트도 찾아보며 신났다. 118층에 있는 스카이 데크에 올라가니 아래가 까마득하여 어지러웠다. 사진만 찍고 나왔다. 주변 건물을 구경할 수 있어서 한 바퀴 돌며 천천히 관람하였다.

119층에는 8월의 크리스마스로 꾸며 놓고 산타에게 보내는 우체통이 있었다. 엽서라도 쓰고 싶었으나 쌍둥이 손자 데리고 구경하느라 사진만 찍었다. 120층에 올라가니 피아노 소리가 들렸다. 남학생이 피아노를 치고 일어섰다. 마침 사람이 없어서 쌍둥이 손자가 '작은 별'을 서툴게 쳤다. 실로폰으로 쳐 보았는데 잊지 않고 검지로 친다. 그래도 잘 쳤다. 할아버지가 쌍둥이 손자 피아노를 사 주고 싶어 한다.

요즈음은 전자 피아노가 대세라고 한다. 며느리가 내년에 사 달라고 해서 사 줄 날을 기다리고 있다. 쌍둥이 손자가 피아노를 치면 얼마나 귀여울까 벌써 기대된다.

120층을 한 바퀴 돌고 오니 영국 스카우트 대원이 돌아가며 피아노를 치고 박수로 환호하며 즐거워 보인다. 잼버리 나쁜 기억은 잊고 한국에서 좋은 추억만 가지고 가면 좋겠다.

나는 여행을 가면 기념품 사는 것을 좋아한다. 남편이 롯데타워 미니어처를 두 개 사서 쌍둥이 손자네 하나 주고 나한테 준다. 2020년 1월 초 코로나 터지기 바로 전에 다녀왔던 부산 여행에서 방문했던 부산 타워 미니어처랑 비슷했다. 엘리베이터를 타고 123층에 올라가니 식당이었다. 이곳에서 식사할까 했는데 아들이 롯데몰에 가면 식당이 있다고 했다. 쌍둥이 손자도 목마르다고 하고 힘든지 안아달라고 한다. 내려가는 엘리베이터 줄이 길다. 떼도 안 쓰고 여태까지 잘 견뎠다.

롯데몰 식당가에서 식사하고 조금 쉬었다. 공휴일이라 식당가에도 사람이 많아 대기 줄이 길고 엘리베이터도 만원이라 기다리는 시간이 길었다. 주차장으로 내려가는 엘리베이터를 탔는데 삐 소리가 나서 며느리가 내렸다. 쌍둥이 손자가 내린 엄마가 걱정되나 보다. 엄마 언제 오냐고 자꾸 물어본다. 주차장에서 출차하는데도 시간도 오래 걸렸다. 쌍둥이 손자 눈이 스르르 감긴다. 집에 오는 길도 많이 막히지 않아서 다행이었다. 오는 도중에 쌍둥이 손자가 깼다. 차 탈 때부터 할머니 집에서 놀다 가겠다고 떼를 쓴다. 집에 가서 씻고 내일 유치원 가야 해서 안 된다고 해도 막무가내다. 금요일에 오라고 했다. 우리를 내려 주고 우는 쌍둥이 손자를 데리고 아들네가 돌아갔다. 마음이 조금 안 좋다.

쌍둥이 손자와 어디든지 가는 것만으로도 행복하다. 쌍둥이 손자 손 잡고 롯데 타워를 구경하며 정말 높다는 생각이 들었다. 아래로 보이는 건물이 성냥갑처럼 작아 보였다. 오래전에 미국 뉴욕에 갔을 때 엠파이어스테이트 빌딩 전망대에 간 적이 있었다. 84층과 102층에 전망대가 있었다. 오늘 123층까지 올라갔다 왔으니 방문한 전망대 중 가장 높은 곳에 다녀온 거다. 쌍둥이 손자 덕에 가고 싶었던 롯데타워 전망대에도 다녀오고 소원을 풀었다. 이번 주 금요일에 오면 또 어디 가고 싶은지 물어봐야겠다. 다음에는 쌍둥이 손자와 함께 세계에서 가장 높다는 두바이 부르즈 할리파 전망대에 여행 갈 수 있기를 기대해 본다.

오늘도 쌍둥이 손자와 함께 롯데타워에 다녀오며 행복한 추억 하나를 쌓았다. 오늘 하루도 행복함으로 마무리하였다.

돌잔치에서 골프공 잡은 손자

2023년 9월 2일 토요일 11시 30분에 셋째 손자 준우의 돌잔치를 하였다. 며칠 전부터 며느리와 통화하며 준우 컨디션이 어떤지 물어보았다. 준우 컨디션은 좋은데 넘어져서 이마 가운데에 멍이 조금 들었다. 이상하다. 아이들은 꼭 행사를 앞두고 그냥 지나가지 않는다. 열이 나거나 아프다. 준우 아빠 큰아들도 돌 때 감기 걸려서 고생했다. 아기들은 머리가 뜨거워지면 그다음에 재주 한 가지가 늘어난다고 한다. 다행히 준우는 돌날에 이마 멍이 거의 사라졌다.

쌍둥이 손자와 작은아들이 금요일 저녁에 와서 우리 집에서 잤다. 쌍둥이 손자가 토요일 아침에 6시가 되기도 전에 깼다. 할머니 일어나라고 재촉한다. 우유를 먹이고 아침은 멸치 김밥으로 간단하게 먹였다. 우리도 간단하게 아침 먹고 9시 30분에 출발하였다. 날씨도 준우 돌잔치를 축하해 주는지 좋았다. 출발하면서 마음이 상쾌했다.

돌잔치 장소가 안산이라 집에서 1시간 30분 정도 걸렸다. 쌍둥이네 차가 카니발이라 한 차로 출발했다. 가면서 투썸플레이스에 들러서 아이스아메리카노를 샀다. 쌍둥이는 차 타는 것을 좋아한다. 창밖으로 아파트를 보며 신났다. 주말이라 길이 조금 밀렸지만, 차가 제자리에서 있지는 않고 앞으로 천천히 이동하였다. 창밖으로 보이는 풍경이 가을이 조금씩 다가옴을 느낀다.

큰아들이 수원에 살고 있어서 돌잔치를 '마이어스 안산'에 예약하였다. 안산은 처음 가는데 은행나무와 단풍나무가 가로수로 많이 보였다. 마이어스 안산에 도착했다. 주차하고 지하로 내려가 예약한 시드니방을 찾았다. 세계 여러 나라에 관심이 많은 지우가 호주 시드니라고 말한다. 여기저기 한복 입은 엄마 아빠가 보인다. 여기가 돌잔치 전용 구장 같았다. 돌잔치 전용룸이 10개가 있다고 한다. 굉장히 넓은 곳에 방마다 사람이 꽉 찼다.

도착하니 사돈이 벌써 와 계셨다. 인사드리고 자리를 잡았다. 돌잡이 이벤트 상자에 돌잔치 예상 물건에 번호를 넣었다. 돈, 청진기, 판사봉, 골프공, 마이크 등 여러 가지다. 골프공에 넣을까 하다가 왠지 돈을 잡지 않을까 해서 돈 상자에 번호를 넣었다. 남편과 작은아들은 골프공에 넣었다고 했다.

드디어 돌잔치가 시작되었다. 결혼식처럼 준우가 태어나서 1년 동안의 사진을 영상으로 보았다. 정말 많이 컸다. 사회자가 분위기를 띄우느라 퀴즈를 내고 준비해 둔 상품을 드렸다. 이어서 돌잔치 하이라이트인 돌잡이를 하였다. 모두 궁금해했다. 손님들이 동시에

"준우야, 잡아라!"

를 외쳤다.

준우 아빠는 건강하게 살라고 실을 잡았으면 좋겠다고 했고, 엄마는 역시 돈을 잡았으면 좋겠다고 했다. 아빠가 돌잡이 상자를 좌우로 흔들며 준우가 뭘 잡을까 지켜보았다. 손님들의 눈이 모두 준우에게 집중되었다. 숨죽이며 기다렸는데 아뿔싸 준우가 골프공을 잡았다. 피는 못 속인다고 했던가. 엄마 아빠가 프로골퍼이니 마음이 골프공으로 향한 것일까. 참석한 모두가 '역시' 하며 한바탕 크게 웃었다.

돌잡이 알아맞히기 이벤트에서 골프공에 번호를 넣은 분이 다섯 명이었다. 남편도 골프공에 넣었다. 다섯 명 중에 뽑힌 번호가 쌍둥이 아빠였다. 지우가 나가서 1등 선물을 자랑스럽게 받아 왔다. 신났다.

준우 아빠 인사말로 식이 끝났다. 식이 끝나고 식사 시간이다. 이곳은 뷔페 레스토랑이라 넓은 홀에 많은 종류의 음식이 차려져 있었다. 음식 종류가 많았고, 곳곳에 요리사가 상주하며 즉석에서 음식을 만들어주었다. 나는 쌍둥이 손자 먼저 밥 먹이고 대충 점심을 먹었다. 손자는 아빠도 있는데 꼭 할머니와 밥 먹겠다고 한다. 돌잔치 등 가족 행사가 많아서 사람들이 많았다. 돌잔치에 와 주신 분이 가족과 지인, 친구들이라서 복잡했지만, 식사도 잘하고 돌아가셨다.

며느리가 답례품도 꼼꼼하게 준비하고 고생이 많았다. 나중에 며느리가

"어머니, 결혼식보다 더 힘들었어요."

라고 말해서 준비하느라 고생이 많았음을 느낀다. 엄마 아빠 노릇이 그렇게 쉬운 게 아니란다. 준우가 지혜롭고 건강하게 자라 엄마 아빠의 기쁨이 되길 기도한다.

준우야, 첫 번째 생일 축하해! 준우도 오늘 고생했다.

며느리 코트 사러 '김현아'를 방문했다

지난 6월 말 깨진 모임회비로 겨울 버버리 패딩 코트를 샀다. 그동안 모은 회비를 1/n로 나누었다. 회비 200만 원이 통장에 입금되었다. 통장에 넣고 쓰다 보면 생활비로 흐지부지 들어가 남는 것이 없다. 어렵게 모은 회비라서 요긴하게 쓰고 싶었다. 며칠 있으면 내 생일이어서 자축하는 의미로 큰맘 먹고 겨울 코트를 샀다.

오래 입으며 모임 지인들을 기억하고 싶었다. 이제 겨울이 오면 모임의 언니, 동생들이 더 생각날 것 같다. 모임이 깨진 이후로 개인적으로 한 두 분은 만났지만, 다 같이 만나지 못했다. 그 사이에 경조사도 없어서 얼굴 볼 기회가 없었다.

버버리 코트를 사서 옷장에 걸어 두었다. 가끔 걸려있는 옷을 보며 며느리가 걸렸다. 며느리가 둘이다. 며느리에게도 좋은 코트를 하나씩 사 주어야겠다고 생각했다. 마침 오늘이 한글날인데 두 아들과 며느리가 모두 쉬었다.

지난 추석 연휴 때 함께 키즈 풀빌라로 여행을 다녀오고 얼마 지나지 않았지만, 오늘 다시 만나기로 했다. 큰아들은 수원에 살아서 일요일 저녁에 돌이 지난 손자를 데리고 우리 집으로 왔다. 주말에도 일하기에 6시에 끝나고 오느라 거의 8시에 도착했다.

손자와 가끔 만나다 보니 아직 낯을 가린다. 그래도 할아버지한테는 잘 가서 엄마, 아빠 식사하는 동안에 할아버지가 안아주었다. 차를 좋아한다고 해서 쌍둥이 손자가 가지고 놀던 장난감 차를 몇 대 가지고 나왔다. 다행히 손자는 장난감 차에 관심을 보이며 잘 놀았다.

다음 날 11시경에 김포 현대 프리미엄 아울렛에서 둘째 아들네와 만나기로 하였다. 김포 현대 아울렛을 일명 '김현아'라고 한다고 아들이 말해주었다. 작은 며느리가 쌍둥이 옷 사러 자주 가는 곳이다. 비교적 가까운 곳에 있는데 나는 처음 간다.

가는 길 양쪽으로 황금 들녘이 이어졌다. 왠지 황금 들녘을 보니 내 마음까지 풍요로워지는 것 같았다. 올여름 태풍이 불고 비도 많이 내렸다. 누렇게 익은 벼를 보며 농부의 수고가 느껴졌다. 곧 햅쌀도 주문해야겠다. 길옆의 가로수도 단풍이 들어서 제법 가을의 매력이 느껴졌다.

20여 분 걸려서 김포 현대 아울렛에 도착했다. 쌍둥이네는 벌써 도착해서 하늘정원에 있는 미로에서 놀고 있었다. 돌다리가 있는 수로와 분수대에서 놀고 있는 동영상을 보내왔다. 신나게 노는 손자를 보며 영상을 보는 내내 미소가 지어졌다. 이곳은 꼭 쇼핑하지 않아도 아이들이 놀 수 있는 장소가 있고, 중식, 일식, 양식 등 다양한 음식점도 있어서 사람들이 많이 찾는다고 한다.

주차장에 도착했는데 벌써 지하 주차장은 만차라 못 들어가고, 7층까지 있는 지상 주차장 6층에 주차하였다. 벌써 5층 주차장까지 만차였다. 휴일이라 정말 많은 사람이 방문하였나 보다. 주차하고 작은아들에게 전화하였다. 이스트 건물 1층 개구리 동상 앞으로 오라고 했다.

김포 현대 아울렛은 세 개 동이다. 이스트존, 웨스트존, 타워존이다. 우리는 타워존에 주차하고 1층으로 내려가서 이스트존으로 갔다. 쌍둥이 손자가 먼저 알아보고 할머니를 외치며 뛰어온다. 예쁜 손자들이다. 쌍둥이 손자는 할머니를 좋아해서 엄마 아빠가 있어도 꼭 내 손을 잡고 다닌다.

오늘 아울렛에 온 목적이 두 며느리에게 버버리 코트를 사 주는 거다. 1층에 버버리 매장이 있었다. 일찍 도착한 작은며느리가 버버리 매장에 다녀왔는데 코트가 없다고 한다. 어쩌나. 백화점으로 가야 하나 잠시 고민이 되었다. 쌍둥이 손자가 배고프다고 해서 우선 식사부터 하기로 했다.

식당가로 갔다. 작은아들과 며느리가 각각 중국집과 아웃백에 줄을 섰다. 먼저 자리 나는 곳에 가기로 했다. 20 여분 지났는데 아웃백에 자리가 먼저 났다. 스테이크와 스파게티, 샐러드를 시켰다. 아이들이 있어서 식사 시간은 늘 분주하다. 손자들 밥 먹이며 그래도 맛있게 먹었다. 커피는 테이크 아웃 해준다고 해서 아이스 커피를 주문해서 가지고 나왔다.

손자들 옷도 사야 해서 타워존 유아동으로 갔다. 거기도 사람이 정말 많았다. 유모차에 아기를 태우고 온 젊은 엄마 아빠가 많았다. 가끔 쌍둥이 유모차도 보인다. 손자가 쌍둥이다 보니 쌍둥이가 눈에 잘 띈다. 다음에는 가능하면 평일에 오자고 했다. 그나마 손자들 옷을 사서 다행이다.

아울렛에 간 이유가 며느리 코트 사는 거였는데 결국 손자 옷만 샀다. 며느리에게는 통장으로 입금해 줄 테니 예쁜 코트나 필요한 것 사고 인증샷을 꼭 보내라고 했다. 나도 통장으로 받으면 그냥 생활비 등으로 쓰고 결국 남는 것이 없어서 직접 사주려고 했던 것인데 어쩔 수 없었다. 다시 만나서 쇼핑하는 것도 힘들다.

가족이 모두 모여서 행복했다. 며느리에게 코트를 사 주지 못했지만, 며느리가 여유있게 쇼핑하고 인증샷을 보내기를 기대해 본다. 어쩌면 오늘 사지 못한 것이 더 잘된 것 같다. 혼자서 천천히 둘러보고 마음에 드는 옷을 사는 것이 좋을 수도 있다.

얼마 지난 후에 작은 며느리가 먼저 예쁜 코트를 사서 입고 사진을 찍어 보내주었다. 돈이 남아서 코트를 두 개 샀다고 한다. 나중에 큰 며느리는 코트는 마음에 드는 것이 없어서 작은 가방을 샀다고 인증샷을 보내왔다. 얼마 안 되는 돈이었지만 두 며느리에게 선물할 수 있어서 내가 더 기쁘다. 며느리가 마음에 드는 것을 사서 다행이다.

받는 것보다 주는 것이 더 행복한 일임을 오늘 느껴본다.

행복 둘.

소소한 하루하루 행복한 일상

23년 만에 바꾼 식탁

서울에서 살다가 지금 사는 곳으로 이사를 하게 되었다. 순전히 남편 뜻이었다. 난 서울을 떠나면 못 살 것 같았다. 당연히 반대하였다. 특히 아이들 교육 문제도 그렇고 나도 서울에서 교사 생활을 해야 하는데 출퇴근도 걱정이 되었다.

남편 회사가 이곳 아파트 건축과 관련 있어서 아파트 건설 현장을 자주 오가다 보니 이사 오고 싶었던 것 같다. 남편은 본적이 서울이다. 서울에서 태어나 계속 서울에서 살다 보니 서울을 탈출하고 싶어 했다. 어쩌겠어. 바늘 가는데 실이 따라가야지.

아파트 분양을 받았다. 평수가 조금 크다. 서울 변두리로 이사하는데 한 가지는 끌리는 게 있어야지. 그게 바로 넓은 평수였다. 서울 아파트를 팔고 입주하기 전에 3년 정도 전세로 살았다. 그런데 전세로 살던 집이 경매로 넘어가게 되었다. 나는 부동산에 대해 몰랐고 남편도 나보다는 나았겠지만 잘 몰랐다. 전세는 남편이 알아보고 계약하였다. 나는 불구경하듯 전혀 관여하지 않았다.

집 앞에 은행 독촉장이 쌓였지만, 의미를 모르고 주인집에 전달해 주었다. 주인집은 시장에서 정육점을 하고 있었다. 그러다 경매가 들어왔다. 우리 집은 2순위였다. 결국 손해를 덜 보는 방법은 우리가 입찰받는 거라고 했다. 남편이 그때야 경매 공부를 하였고, 우리가 입찰받게 되었다. IMF로 예정했던 것보다 1년 이상 늦게 입주하였다. 입찰받은 아파트가 그래도 빨리 팔려서 우리는 무사히 입주하게 되었다. 물론 손해를 보았다. 우리가 이전에 살다가 팔았던 아파트도 재건축을 하였다. 지금 따져보면 재산을 많이 손해 본 셈이다.

경매로 손해 본 부분은 은행 대출을 받아 막았다. 2000년 3월에 입주했으니 벌써 23년이 넘었다. 우린 재산 늘리는데 둘 다 관심이 없어서 입주하고 계속 살았다. 사는 데 불편함이 없었고 살다 보니 동네 친구들도 생겨서 고향처럼 정이 들었다. 지금은 제2의 고향이 되었다.

아파트는 도배만 해도 새집처럼 보인다. 지금은 내부 리모델링도 해서 깨끗하다. 새집이나 다름없다고 생각하며 산다. 거실, 주방, 욕실, 새시 등 대부분을 살면서 리모델링을 하였다. 살면서 공사하느라 고생을 좀 했다.

이사 오며 6인용 식탁을 구입했었다. 롯데백화점 소공동지점에서 나름 좋은 것으로 샀다. 이사를 하지 않아서 지금도 깨끗하다. 아들 둘이 장가를 가서 식구가 늘어나다 보니 식탁이 좁아졌다. 남편이 계속 식탁을 바꾸자고 했는데 내가 늘 반대하였다. 아직 쓸만하고 식탁에 다 앉지 못하면 거실에 상을 펴고 먹으면 된다고 했다.

남편은 물건 사는 걸 좋아한다. 홈쇼핑에서도 쿠팡에서도 늘 물건을 주문한다. 취미 생활이 된 것 같다. 어쩌겠는가. 죽은 사람 소원도 들어준다는데 산 사람 소원은 들어주어야지 하는 생각이 들었다.

지난 토요일에 일본으로 여행가는 큰아들네를 인천공항까지 배웅하고 돌아오다가 가구단지에 들렀다. 가구점이 참 많았다. 한 곳을 찍어서 들어갔다. 삼익가구라고 간판이 달려있었다. 몇 군데 둘러보고 맘에 드는 걸 사려고 했다. 8인용 식탁 있냐고 물었더니 2층으로 안내하였다. 매장이 정말 넓었다. 식탁 종류도 많았다. 몇 개를 보다가 맘에 드는 걸 발견했다. 나는 다른 매장에 가보고 싶었는데 성격 급한 남편은 그게 딱 마음에 든다고 가격을 흥정했다.

가격을 물어보다가 현금가도 알아보았다. 사실 2022년 8월 말에 퇴직했는데 작년 교원 성과급 50%가 3월 31일에 입금되었다. 없는 셈 치고 그 돈으로 식탁을 사면 될 것 같았다. 조금 깎아서 현금가로 샀다.

작년 6개월 성과급이 새 식구를 들이는데 날아가 버렸다. 괜찮다. 이게 우리와 남은 인생을 함께할 거니까. 오늘 식탁이 배송되었다. 우리 집 분위기와도 잘 맞았다. 이제 큰아들 작은아들네가 같이 와도 함께 앉아서 식사할 수 있다. 막내 손자는 아직 어리니 유아용 식탁 의자에 앉히면 된다.

23년 사용하던 식탁은 시골 사는 동생네로 보냈다. 의자와 식탁보와 의자 방석까지 세트로 다 보냈다. 새집에 가서도 오래 잘 살기 바란다. 우리도 새 식구와 정 붙이고 오래오래 건강하게 살아야겠다. 맛있는 음식도 차려서 먹으며 말이다. 새 식구도 마음에 든다.

벌써 결혼 40주년

벌써 결혼 40주년이다. 세월이 유수 같다고 하더니 벌써 강산이 네 번 변했다. 1983년 4월 5일에 결혼하였다. 남편은 4월 5일 식목일에 결혼한 것을 인생을 심는다는 의미로 해석하였다. 결혼할 때만 해도 식목일이 공휴일이었다. 그러다 언제부터인지 모르는데 식목일이 공휴일에서 제외되었다.

우린
"어떻게 만났어요?"
라고 물어보면
"하나님이 중매했어요."
라고 말한다.
하나님이 중매한 것 맞다. 그렇지 않고서는 우린 만날 수 있는 사이가 아니었다.

1980년에 초등학교에 첫 발령을 받고 교사로 교단에 섰다. 그해 가을에 같은 학교에 근무하는 선배 선생님의 전도로 여의도 순복음 교회 성경 대학을 다니게 되었다. 1기 성경 대학으로 1주일에 두 번 성경 공부를 하는 거였다. 처음 가본 순복음교회는 너무 커서 무척 놀랐다.

성경 공부하러 처음 간 날 양복 입은 아저씨 같은 사람이 옆자리에 앉았었는데 친절하게 성경도 찾아주고 모르는 것도 가르쳐 주었다. 나는 그때까지 교회에 다니지 않았기에 성경 찾는 것이 서툴렀다. 이렇게 석 달 동안 성경 공부를 하러 다녔고, 그 아저씨는 내 옆자리나 내 주위에 앉아서 가끔 음료수도 사다 주곤 하였다. 내가 대학생인 줄 알았다고 했다. 그때의 인연으로 결혼을 하게 되었고 지금까지 함께 교회에 나가며 한 곳을 바라보고 살고 있다.

결혼 40주년을 맞이하여 남편이 커플링을 맞추자고 했다. 나이 들어서 커플링이라니 그냥 그 돈으로 다른 것을 하자고 했다. 하지만 남편은 그게 소원이라고 했다. 금은방에 가서 디자인을 고르고 사이즈를 재서 커플링을 맞추었다. 너무 비싸지 않으면서 일상생활에서 늘 끼고 일할 수 있는 무난한 디자인으로 맞추었다. 남편은 손가락이 짧고 굵다. 나는 손가락이 가늘고 긴 편이다. 사이즈 차이가 컸다. 나이 들어서 손에 살이 빠져서 쭈굴쭈굴 하지만 커플링을 끼고 기념사진도 남겼다. 남편이 행복해하니 나도 기뻤다.

결혼기념일을 위해서 케이크도 맞추었다. 물론 그것도 남편이 하였다. 케이크에 벽옥혼식(碧玉婚式)이란 글자를 넣고 싶어 했으나 너무 길어서 안 들어간다고 했다. 그냥 '축 결혼 40주년'과 날짜를 넣었다고 한다. 찾아온 케이크를 보니 크기는 작았지만 예뻤고, 내가 좋아하는 블루베리 케이크라 맛있었다. 사실 작년까지만 해도 결혼 40주년에 리마인딩 웨딩을 할까 했는데 올해는 마음이 내키지 않았다. 지난 2월 말에 친정엄마가 갑자기 돌아가시고 나니 삶에 의욕이 없어졌다. 그냥 날 잡아서 아들, 며느리, 손자 모두 모여 스튜디오에서 가족사진 찍는 걸로 바꾸었다.

4월 4일 저녁에 작은아들네와 일식집에서 식사하였다. 퓨전 일식 식당이었는데 고기도 구워 먹고 회도 맛있게 먹었다. 쌍둥이 손자가 할머니, 할아버지 결혼 축하 노래도 불러주어 행복했다.

4월 5일 결혼기념일 당일에는 일본 여행에서 돌아온 큰아들네와 이웃에 사는 시누네를 불러서 집에서 함께 식사하였다. 여행 다녀오면 매콤한 것이 먹고 싶을 것 같아 묵은지 김치를 많이 넣고 목살로 '돼지고기 묵은지 김치찜'을 만들었다.

조금 양을 많이 해서 넉넉하게 차렸다. 큰 며느리는 결혼하고 처음 먹어보는데 "정말 맛있어요!."를 연발하였다. 이 요리는 유 세프 요리 교과서(나의 손 글씨 레시피북)에 있는 요리라 재료만 사면 언제든지 자신 있게 만들 수 있는 요리다. 모두 맛있게 먹어서 오늘 수고한 것이 행복이 되었다. 원하면 언제든지 해줄 수 있으니 하루 전에 연락하라고 했다. 새로 들인 식탁에서 편하게 앉아서 식사하였다.

식사 후에 아들네는 피곤할 것 같아 먼저 보내고 시누네랑 케이크와 와인을 마시며 결혼 40주년을 자축하였다. 40년 동안 살면서 어려웠던 일도 속상한 일도 있었지만, 지금은 남편과 한 방향을 바라보며 건강하게 함께 할 수 있어서 행복하다. 남편도 나이가 들더니 요리도 잘하고 집안일도 많이 도와준다. 내가 몸이 조금 약하기 때문에 힘든 일은 앞장서서 다 해준다. 나이 들더니 철이 많이 들었다.

이제 결혼 50주년을 향해 다시 함께 걸어가려고 한다. 앞으로의 10년은 나쁜 일, 속상한 일보다는 좋은 일, 행복한 일로 채워지길 바란다. 큰 욕심이 없다. 서로를 배려하고 도와주며 평범한 일상을 보내길 바란다. 물론 가장 중요한 것은 건강이라고 생각한다. 꾸준한 운동과 좋은 식습관, 취미 생활 등으로 몸과 마음이 건강하여 결혼 50주년 금혼식에도 가족과 함께하기를 기대해 본다. 결혼기념일에 함께 해준 가족이 고맙다. 특히 케이크 등을 준비해 준 자상한 남편 덕분에 결혼 40주년을 의미있게 보냈다.

50주년을 향해 다시 걸어가는 날들이 서로를 배려하며
한 곳을 바라보는 행복한 시간이 되길 기대해 본다.

겨울에도 베란다에 두는 화분

우리 아파트는 2000년 2월부터 입주를 시작했다. 벌써 23년이나 된 아파트다. 우리는 입주가 시작되고 2000년 3월에 서울 아파트를 팔고 이사를 왔다. 우리 동에서 두 번째로 입주했다.

입주하여 23년 동안 살고 있다. 부동산으로 재산을 불리던 시절이었다. 재산을 불리려면 3, 4년 살고 서울로 다시 이사 가는 게 맞는데 우린 그렇게 하지 않았다. 우리가 살던 서울 아파트도 우리가 이사 오고 조금 지난 후에 재건축을 하였다. 계속 살았으면 아파트 가격도 올라 재산도 늘어났을 것이다. 조금 아깝긴 하다.

우리 부부는 재산 늘리는 데는 둘 다 재주가 없다. 지금 편하게 살면 그것으로 만족했다. 이사 오며 가장 걱정되었던 것은 아이들 교육 문제였다. 그래도 이곳에서 아들 둘 다 대학도 보내고 결혼도 시켰다. 작은아들은 소위 sky 대학 중 한 곳을 졸업하고 대기업에 입사했다. 큰아들은 골프 지도 학과를 졸업하고 부부 프로골퍼다. 서울에서 살지 못했어도 둘 다 원하는 일을 할 수 있어 너무 감사하다. 물론 서울에 있는 학교로 등하교 하느라 고생은 했다.

아파트는 서울이면 불가능하지만, 수도권이라 조금 넓은 평수에 산다. 쌍둥이 손자가 오면 뛰어놀 정도의 평수다. 물론 층간소음 문제로 마음껏 뛰는 것은 자제시키기는 한다.

아파트가 오래되다 보니 단열이 안 되어 겨울이면 늘 거실로 화분을 옮겨 놓았었다. 식물을 좋아해서 화분도 조금 많았다. 거실 한쪽을 화분이 차지하고 있어 겨울마다 거실이 좁고 복잡했다.

4년 전쯤 아파트에서 새시 교체를 대대적으로 홍보하였다. 새시를 교체하는데 2,000만 원이 넘게 든다고 해서 고민이 되었다. 새시를 교체한 본보기집을 방문해보니 너무 좋아 보여 교체하기로 마음먹었다. 늘 그렇듯이 기회가 왔을 때 잡아야지 후회가 적다.

좋은 점은 이번에 새시를 교체하면 국토교통부가 지원해 주어 무이자로 할부도 가능하다고 했다. 새시 시공업체는 LG Z:IN으로 믿을 만한 회사라 안심이 되었다. 안방 안쪽 새시는 아직 쓸만하고 격자창이라 그냥 살리기로 하고 견적을 받아보니 2,300만 원 정도 들었다. 국민은행에서 대출도 해주고 60개월 할부로 갚는데 완전 무이자는 아니지만, 저금리 대출이라 이자는 저렴했다. 세월이 빨라 지금은 다 갚았다.

계약서를 작성하고 공사를 시작했다. 참 대단한 게 전체 새시 공사가 이틀 만에 완성되었다. 새시 공사를 하며 앞 베란다 타일도 교체해 주었다. 원래 거실 쪽 베란다는 마루여서 화분에 물 줄 때마다 난 화분을 수도가 있는 옆 베란다로 옮겼었는데 타일로 바꾸니 화분을 옮기지 않아도 되어 편리해졌다.

새시 공사 이후에는 겨울에도 화분을 거실로 옮기지 않았다. 단열이 잘되어 집도 따뜻해졌다. 베란다에서 겨울 동안 지내지만 식물이 얼지 않는다. 여름보다 물만 조금 줄여서 주면 된다.

아파트가 23년 되었지만, 아파트는 도배만 새로 해도 새집 같다. 싱크대도 교체했고 욕실과 마루도 리모델링을 하여 지금은 새 아파트 부럽지 않다. 아마 우린 이곳에서 여생을 보내지 않을까 생각된다.

남편은 손자들을 위해 전원주택으로 이사 가고 싶어 하지만 내가 관리할 자신이 없어 반대하고 있다. 우린 점점 나이 들 거고 나이 들면 병원도 가까워야 하고 대중교통, 특히 지하철이 가까워야 좋을 것 같아서다. 나이 들면 역세권 병세권에 살아야 하는 이유다

매년 1월에 난이 꽃망울을 터트려주는데 올핸 아직 소식이 없다. 군자란도 겨울에 단단해지면 봄에 꽃을 활짝 피울 거라서 기대된다. 작년에도 군자란 화분 다섯 개에서 꽃이 피어 우리 집 꽃밭이 화사했으니 올해도 분명 예쁘게 필 거라고 믿는다.

오늘도 베란다에 나가 화분을 본다. 군자란이 베란다에서 겨울을 잘 보내고 새봄에 활짝 꽃 피워 주길 바란다. 난은 난대로, 알로카시아는 알로카시아대로, 키 큰 개음죽은 개음죽대로 좋은 공기 뿜어 우리 마음까지 상큼하게 해줄 거라고 믿는다.

베란다에 있는 화분이 봄을 기다리듯 나도 따뜻한 봄을 기다린다.

깨진 모임회비로 산 버버리 코트

오래된 모임이 있었다. 한 달에 한 번 셋째 주 월요일에 꼭 만났다. 회원은 아홉 명이다. 매달 회비 10만 원을 총무 통장으로 입금하였다. 회비가 모이면 여행도 가고 반지도 사며 오랫동안 모임을 이어나갔다. 나이는 달랐지만 최고 언니부터 막내까지 모이는 것만으로도 즐거웠다. 매번 아홉 명이 모두 나오진 않았지만, 못 만난 사람은 다음 달에 만나곤 하였다. 그저 얼굴 보는 것만으로 모두 행복했다. 경조사가 있으면 함께 하였고, 축하할 일이 있을 땐 함께 축하해 주었다. 함께 한 지 벌써 10년이 넘었다.

코로나19로 잠시 만나지 못하다가 작년부터 다시 만나기 시작했다. 한 분이 나오지 않았다. 모임에 못 나온다고 했단다. 우린 몰랐다. 총무만 알고 있었고 우린 잠시 사정이 있어서 못 나오는 거로 생각했다. 그러던 중 또 한 명이 당분간 지방에 내려가 지내게 되었다며 모임에 나오지 못하겠다고 했다. 일곱 명만 남았다.

6월에도 일곱 명이 만났다. 저녁을 먹고 카페에 갔다. 가장 큰언니가 모임을 이어가야 할지 깰지 정해야 할 것 같다고 하신다. 모두 마음이 착잡했다. 10년이 넘도록 우정을 이어온 사이인데 지금 모임을 해체 시키는 것이 마음 아팠다. 하지만 함께 가면 좋은데 두 명을 모른 체 하고 우리끼리 계속 만나는 것은 의미 없다는 생각이다.

모임을 깼다. 모은 돈은 1/n로 나누어 통장으로 입금해 주기로 했다. 오랜 세월 함께 운동하며 친언니 친동생처럼 지냈는데 참 속상하다. 가끔 나보고 번개를 치면 모이겠다고 한다. 내가 가장 바쁜 사람이라 시간 있을 때 번개팅을 하자고 했다. 나도 번개를 칠 예정이지만 아홉 명이 다 모이는 것은 불가능할 것 같다.

회비가 통장에 입금되었다. 약 200만 원이다. 지난달 초등 여자 동창 모임에서 3년 동안 모은 돈을 나누어 보내왔다. 그냥 통장에 넣고 쓰다 보니 어디로 갔는지 흔적도 없어졌다. 이번 회비는 그렇게 흐지부지 쓰고 싶지 않았다. 고민하다가 다음 주에 내 생일이 있어서 나를 위해 쓰기로 했다.

오래도록 모임을 기억할 수 있는 의미 있는 것이 무엇일까 생각하다가 버버리 겨울 패딩 코트를 큰맘 먹고 샀다. 한 번 사면 10년은 입을 수 있다. 코트를 입을 때마다 모임의 언니 동생을 기억하게 될 거다. 조금 비싸다고 할 수 있지만 받은 회비로 충분히 살 수 있었다.

나는 물건을 살 때 양보다 질을 우선한다. 조금 비싸도 좋은 것으로 산다. 꼭 명품을 사진 않지만, 가능하면 맘에 들고 좋은 것을 산다. 가전제품을 살 때도 가장 좋은 것을 산다. 그래야 오래 쓸 수 있다. 옷도 마음에 드는 것을 사야 아끼며 오래 입는다. 비싸다고 꼭 좋은 것은 아니기에 마음에 들면 지나가다가 옷가게에서 싼 것을 사기도 한다.

버버리 패딩 코트는 실용적이라 겨울에 많이 입을 것이다. 가볍지만 따뜻하다. 블랙이라 어떤 옷에도 잘 어울린다. 그냥 디자인도 무난하다. 잘 샀다. 퇴직하고 첫 번째 생일인데 출근하고 있어서 여행도 못 갔다. 여행 다녀온 셈 치면 된다.

내 옷만 사서 남편에게 조금 미안했다. 한 달 이상 저녁마다 설거지를 해준 고마운 남편이다. 사고 싶은 것 있냐고 물으니 조금 밝은 색으로 여름 양복을 맞추고 싶다고 했다. 마침 회사 앞에 양복점이 있다고 한다. 양복 한 벌 맞추어 주기로 했다. 남편은 주일날 교회에 갈 때 꼭 정장을 입고 간다. 3부 헌금위원이기 때문이다.

깨진 모임회비로 코트도 사고 남편 양복도 맞추어 주었다. 어렵게 모은 돈을 허투루 쓰지 않고 의미있게 써서 좋다.

오늘 잘했다고 스스로 칭찬해 주었다.

며느리가 박스 케이터링으로 차려준 생일상

내 생일이 모처럼 토요일이다. 아들, 며느리, 손자 모두 온다고 했다. 모두 모이면 시누이네까지 11명이다. 작년까지는 주로 한정식집에 예약하여 식사하였다. 지난주에 작은아들에게서 전화가 왔다.

"이번 엄마 생신에 박스 케이터링 주문해서 집에서 먹으면 어떨까요?"

"그거 좋은 생각이다. 준우도 어리고 쌍둥이도 그렇고."

형하고 의논하였다고 한다. 작년 12월에도 한 번 먹어 보았는데 뷔페 기분도 나고 설거지도 많지 않아서 좋았다. 이번에는 조금 푸짐하게 주문한다고 했다.

금요일에 미역국만 끓이면 될 것 같아 퇴근하며 양지머리 썰어놓은 것을 샀다. 작년 초겨울 친정아버지 기일로 강릉 가는 길에 주문진 수산 시장에 들렀었다. 회를 뜨고 미역과 잔멸치를 사 왔다. 멸치는 이미 다 먹었고 미역은 가끔 생일날에만 끓여 먹기에 남아 있다. 예정으로는 금요일에 미리 미역국을 끓이려고 했는데 여름이라 토요일에 끓이는 것이 좋을 것 같아 미역을 물에 담가 두지 않았다.

남편이 퇴근해서

“준우 아빠가 전화했는데 미역국은 큰 며느리가 끓여 온다고 끓이지 말래.”

미역을 물에 담가두지 않아서 다행이다. 선견지명이 있었다. 사 온 양지머리는 금방 먹지 않을 것 같아 우선 냉동실에 넣어두었다.

내 생일날 미역국은 시어머니 살아 계실 때는 어머님이 끓여주셨다. 돌아가신 후에는 가끔 친정엄마가 끓여주셨지만, 대부분 내가 끓였다. 어떤 해는 끓이지 않고 지나가기도 했다. 이제 친정엄마 대신 며느리가 끓여준다고 하니 생일날 대접받는 기분이다.

이번 생일은 며느리가 박스 케이터링을 주문해서 다른 준비는 안 했다. 박스 케이터링은 예약한 5시에 정확하게 배달되었다. 커다란 스티로폼 상자 두 개가 배달되었다. 하나는 따뜻한 음식이고 하나는 차가운 음식이라고 한다. 제법 양이 많았다. 8~10인분이라고 하였다.

지난겨울에 식탁을 8인용으로 바꾸었는데 오늘 아들 며느리와 시누이네까지 어른이 8명이다. 식탁 의자가 딱 맞았다. 며느리 둘이 도착한 박스 케이터링으로 생일상을 차렸다. 과일과 떡까지 음식 종류가 16가지다. 과일과 떡은 후식이라 따로 냉장고에 넣어 두었다. 식탁이 꽉 찼다.

먼저 생일 케이크에 촛불을 켰다. 올해부터 호적 만 나이로 하기로 해서 나이도 두 살이나 줄었다. 두 살이 젊어졌다. 나이가 줄어든 만큼 마음도 젊어진 것 같다. 쌍둥이 손자가 큰 소리로 생일 축하 노래를 불러주었다. 촛불을 끄고 식사를 시작했다. 아들 며느리가 참 든든하고 고마웠다.

박스 케이터링이라 수저와 앞접시 하나씩 세팅하여 식사하였다. 간단하고 참 좋았다. 음식도 중식, 한식, 초밥에 샐러드까지 있어서 푸짐했다. 맛도 있었다. 시누이는 박스 케이터링을 처음 보았는데 음식도 맛있다며 좋다고 한다. 다음에 집에서 행사 있을 때 이용하고 싶다며 주문한 곳 알려달라고 했다.

큰며느리가 끓여 온 미역국을 떠서 함께 먹었다. 미역국도 짜지 않게 잘 끓였다. 손자 어린이집 보내고 끓였다고 한다. 한 냄비 가득 끓여 와서 먹고도 남았다. 함께 만들어온 잡채는 꺼내지도 못했다. 손이 많이 가는 잡채를 만들 생각하다니 참 고마웠다. 나중에 맛있게 먹어야겠다.

며느리가 박스 케이터링으로 차려준 생일상 덕에 가족 모두가 푸짐하고 맛있게 먹었다. 과일과 떡 후식까지 있어서 집에서 따로 준비할 게 하나도 없었다. 집에서 차렸으면 설거지가 많았을 텐데 설거지도 간단해서 좋았다. 뷔페에 가서 먹는 것처럼 다양한 음식을 먹어서 좋았다. 외식했다면 한정식 아니면 고깃집이었을 텐데 지혜로운 며느리 덕에 앉아서 뷔페를 먹었다.

시어머니 생일이라고 일정까지 바꾸고 와 준 며느리와 아들이 고마웠다. 쌍둥이 손자와 준우 재롱에 모두 빠졌다. 손자가 있으니 밥 먹으면서도 웃음이 끊이지 않았다. 아직 외동아들 장가보내지 못한 시누이가 부러워하며 아들이 장가 좀 갔으면 좋겠다고 했다.

올해 생일은 가족 모두의 축하로 정말 행복한 날이 되었다. 친정엄마가 계셨으면 더 행복했을 텐데 마음 한 곳이 허전했다. 분명 친정엄마도 천국에서 내 생일을 축하해 주셨을 거라고 믿는다.

올해 며느리가 박스 케이터링으로 차려 준 생일상 덕분에
건강하게 일 년을 잘 보낼 것 같다.

이 영화를 보고 남편이 펑펑 울었다

태풍 카눈이 온다고 해서 휴가를 취소하고 집콕 휴가를 즐기는 중이다. 에어컨이 있으니 온종일 시원하다. 집 밖은 무더위로 몸살을 앓고 있지만, 집안에서는 벌써 가을이 느껴진다. 어제가 입추라고 한다. 곧 집 밖에도 가을이 달려오길 기대해 본다.

어제는 남편은 그동안 미뤄두었던 치과에 다녀오고 나는 7개월 만에 파마를 하였다. 지난 12월 말 친정엄마와 새해맞이 파마를 하였었다. 파마와 염색을 하고 10년은 젊어진 것 같다던 친정엄마가 지금 옆에 안 계시다. 친정엄마가 그립다. 보통 늦어도 6개월 정도에 파마하는데 이번에는 늦어도 너무 늦게 하였다. 큰 행사 하나를 치른 기분이다.

얼마 전 남편 친구가 감동적으로 보았다며 카톡으로 영화 하나를 추천했다고 한다. 영화 보는 내내 울었다고 한다. 얼마나 슬픈 영화길래 남자분이 그 정도로 울었을까 궁금했다. 넷플릭스에서 검색했더니 없다. VOD로 3,850원을 지불하고 영화를 관람했다. 상영 시간이 120분이다.

제목에서 슬픔이 묻어났다. 이창열 감독님의 '그대 어이가리' 영화다. 제목을 보면서 '님아, 그 강을 건너지 마오'가 생각났다. 2023년 3월 8일에 개봉된 영화였다. 영화의 주제는 아내의 치매다. 고령사회로 들어가는 현실에서 모든 사람이 가장 관심을 갖고 걱정하는 주제이다. 나이 든 모든 사람의 바람이 치매에 걸리지 않는 것이다. 치매는 죽음의 병이라고 한다. 기억이 모두 사라지기 때문이다. 나도 가끔 깜빡하는 습관 때문에 작년에 뇌 MRI를 촬영하였다. 다행히 별 이상이 없었다. 그냥 나이 들어 생기는 건망증이라고 생각하며 정신 차리고 살아야겠다.

영화는 1965년 가을, 동네 초상집에서 동혁 어머니가 곡하는 장면으로 시작한다. 동혁을 비롯한 동혁 친구들이 초상집에서 엄마가 주는 음식을 받아먹는다. 어릴 때 동네 초상집 마당에 앉아있다가 음식을 받아먹었던 것이 생각난다. 화려한 상여가 나오고 만가를 부르는 소리가 슬프게 들리지 않았다. 나이 많으신 어르신 한 분이 수명이 다하여 하늘나라에 편히 가셨을 거로 생각했다.

이어서 동혁이 나이 들어 친구 장례식장에 조문 가는 담담한 모습이 나온다. 옛날 장례식과 요즘 장례식이 대비되었다. 급하게 딸 연락을 받고 서둘러 가는 동혁의 모습에서 뭔가 심각함을 느낄 수 있었다.

30년 넘게 국악인으로 전국을 떠돌던 동혁은 아내 연희의 부탁으로 고향에 정착하기로 한다. 행복한 전원생활도 잠시, 동혁은 연희의 행동이 이상하다는 걸 깨닫는다. 아이가 먹던 막대 사탕을 빼앗아서 빨아 먹고, 며칠 전에 알아보던 고향 후배도 몰라본다. 병원에서 치매 검사를 받고 연희가 치매임을 알게 되면서 동혁과 연희 생활은 걷잡을 수 없는 수렁에 빠진다.

동혁은 아내 연희를 노 여사라고 부른다. 잘 돌볼 수 있을 거로 생각했다. 시간이 흐를수록 동혁도 딸도 사위도 지쳐간다. 오랜 병간호로 가족이 무너질 수밖에 없다. 동혁이 일을 하지 못하게 되면서 의사인 사위와 딸이 경제적으로 도움을 주는데 딸 부부 사이에도 갈등이 생긴다. 결국 요양원에 모시는데 연희가 적응 못 하여 퇴소당하게 된다. 잠시 정신이 돌아왔을 때 연희가 한 말이 가슴을 아프게 한다.

나는 평생 예쁘게 살 줄 알았어.
엄마도
예쁜 꽃처럼 살다가 꽃상여 타고 예쁘게 가고 싶은데 이게 뭐야.
그냥 안락사시켜 줘!

내가 얼마나 자존심 강한 여자인데
예쁜 기억만 가지고 꽃처럼 갈 수 있게 해 줘.
나한테는 당신밖에 없잖아.

연희의 치매 원인은 밝혀지지 않았다. 그냥 짐작해 본다. 아들 수찬이 죽은 후 방황하던 동혁이 바람을 피웠다. 치매의 원인이 아들의 죽음인지 남편의 바람인지 알 수 없지만, 이 두 가지가 연희를 힘들게 하지 않았을까 생각된다.

결국 연희를 요양원에도 보낼 수 없어 동혁이 집에서 돌보게 된다. 점점 심해지는 연희를 보며 동혁은 연희를 보내주기로 마음먹는다. 예쁘게 치장하여 사진을 찍고 호수에 가서 연희에게 먹을 것을 주고 만가를 불러준다. 동혁이 곧 따라간다고 했다. 영화에서 국악인이었던 주인공 동혁이 만가를 직접 불러서 애절함을 더해주었다.

연희는 바람대로 꽃상여를 타고 갔다. 얼마 후에 동혁도 연희가 떠났던 호수에서 낚시하다가 연희 곁으로 따라갔다. 영화에서는 대화가 많지 않았는데 그 안타까움과 슬픔은 강하게 느낄 수 있었다. 치매도 서서히 진행되는 것이 아니고 빨리 진행된다. 영화가 지루하지 않았다. 손을 서로 묶고 잠을 자는 모습이 마음 아팠다. 자개장이 보이는 방안 모습이 옛날 친정집을 생각나게 했다.

이 영화는 치매에 걸린 50대 후반 여자의 이야기라 더 슬펐다. 물론 정확한 나이는 언급되지 않았다. 치매에 걸리는 것은 나이와 상관없다. 영화를 보며 남편이 많이 울었다. 어쩜 연희를 나와 동일시하며 관람해서 그럴 거로 생각한다. 나도 울었다. 슬픈 영화 맞았다. 나는 마지막 떠나는 엄마에게 작별 인사를 하는 딸 수경을 보며 지난 2월 엄마와 작별하던 것이 생각나서 매우 슬펐다. 그렇지만 슬프기만 한 영화는 아니다. 우리에게 많은 것을 생각하게 하는 영화다. 누구에게나 일어날 수 있는 일이기에 더 집중할 수 있었다.

영화를 보며 영화가 아니고 한 가정의 다큐멘터리를 보는 것 같았다. 그만큼 배우들이 연기를 잘했다. 치매는 누구나 걸릴 수 있다. 그래도 치매는 안 걸리고 싶다. 부부는 서로 소중한 존재임을 영화를 보며 진하게 느꼈다. 남편이 이제 더 잘할 것 같다. 치매에 관한 책을 몇 권 읽었는데 찾아서 다시 한번 읽어봐야겠다. 치매는 예방할 수 있으면 예방하고 싶다. 저녁까지 계속 영화의 여운이 남았다.

초보 농사꾼 친구가 보내준 첫 수확 땅콩

대부분의 사람은 세컨드 하우스를 갖는 것이 로망이다. 특히 퇴직하신 분은 텃밭이 딸린 세컨드 하우스를 갖고 싶어 한다. 나도 그렇다. 강원도에 친정엄마가 사시던 집이 있다. 우린 그 집을 팔지 않고 세컨드 하우스로 사용하기로 했다. 서울에서 내려가기에 조금 멀지만, 마음만 먹으면 갈 수 있어서 든든하다.

대학교 동창이고 첫 발령 동기인 친구가 퇴직하고 가평에 세컨드 하우스를 구입하여 텃밭을 가꾸며 산다. 서울에 집이 있고 손주도 돌봐야 해서 세컨드 하우스에는 주로 주말에 내려간다고 한다. 첫 발령 동기인 친구 네 명은 지난 8월에 그동안 이야기로만 들었던 친구의 세컨드 하우스를 찾아갔다.

가평이라 서울에서 그리 멀지 않다. 평일인데 길이 조금 막혀서 1시간 30분 정도 걸려 도착하였다. 위치도 큰 도로에서 보일 정도로 가까워서 접근성도 좋았다. 세컨드 하우스는 그리 크진 않았지만, 가족이 와서 지내고 가기엔 딱 좋았다. 가끔 손님이 찾아와도 1박 정도는 하고 갈 수 있도록 방도 2개다. 차 마시며 도란도란 이야기할 수 있는 아늑한 다방도 있었다. 마당에는 텃밭이 있어 오이와 방울토마토, 상추, 양배추 등이 심겨 있었다.

방문한 날 점심은 나가서 먹자고 했는데, 친구가 텃밭에서 따온 채소로 훌륭하게 건강 밥상을 차려 놓았다. 가지나물, 호박볶음, 고구마순 볶음 등 나물과 미리 만들어 놓은 양파장아찌 등 정말 꿀맛이었다. 풋고추와 상추, 당근 등 말 그대로 건강 밥상이었다. 거기다 토종닭 백숙까지 먹고 나니 내 몸이 건강해진 기분이 느껴졌다.

친구와 남편이 가꾸는 텃밭을 보러 갔다. 텃밭은 집에서 내려다보였는데 직접 가보니 생각보다 넓었다. 마을의 어르신 밭인데 그냥 농사지으라고 분양해 주신 거라고 했다. 시골의 넉넉한 인심을 느낄 수 있었다. 텃밭에는 고추와 고구마, 땅콩이 제법 많이 심겨 있었다. 양쪽 자투리땅에 들깨와 옥수수가 심겨 있었다.

함께 간 친구가

"나, 고춧가루 예약할게."

또 다른 친구가

"난, 땅콩."

"나도 땅콩."

이렇게 마음으로 농사가 잘되길 함께 기원했다.

지난주에 친구가 땅콩 수확하는 사진을 올렸다. 땅콩을 캤다며 주문하라고 했다. 처음으로 농사에 입문한 초보 농사꾼 친구는 땅콩을 수확하며 들떠 있었다. 나는 깐 땅콩 5킬로를 주문했다. 큰아들, 작은아들과 시누이네까지 나눠 먹으려면 그 정도는 있어야 할 것 같았다. 땅콩이 도착하길 기다리는 시간이 행복했다.

"땅콩이 마르고 나니 수량이 얼마 안 되네……. 초보 농부라 의욕만 앞서서……. 땅콩 깔 시간도 없어서 이번 판매는 힘들겠어."

기다렸는데 어쩔 수 없었다. 조금 실망이 되었지만 내년에는 농사가 잘되어 맛있는 땅콩 많이 수확하라고 덕담을 해주었다.

사실 친구가 작년에 발목을 다쳐서 철심을 박았는데 요즘 입원해서 철심 빼는 수술을 했다고 한다. 2주 정도 기다렸다가 실밥만 풀면 된다고 했다. 치료가 잘 되어서 다행이다. 땅콩 깔 시간이 없었다는 말이 이해되었다. 건강 챙기는 것이 먼저라는 생각에는 모두 공감하기에 건강 잘 챙기라고 응원하였다.

땅콩 일은 잊어버리고 있었다. 나이가 드니 포기도 빠르고 지난 것은 바로 잊어버린다. 그런데 알림이 울리고 친구가 쉬면서 땅콩을 조금 깠다며 맛이나 보라고 조금 보내준다고 했다. 이렇게 반가울 수가 없었다. 주소를 보냈더니 다음 날 땅콩 2킬로를 택배로 보내왔다.

초보 농사꾼의 정성이 보였다. 정성 들여 포장한 땅콩을 받으니 마음이 심쿵했다. 한 알 한 알 까느라 고생이 많았겠단 생각이 드니 고마움이 밀려왔다. 봄부터 유난히 무더웠던 여름까지 얼굴도 까맣게 타며 지은 농사라서 보내준 땅콩이 소중한 보물 같았다.

땅콩은 알도 굵고 실했다. 500 그램씩 작게 포장을 해주어 한 봉지씩 볶아 먹으면 되겠다. 마침 금요일 저녁에 작은아들이 쌍둥이 손자를 데리고 왔다. 땅콩이 도착하면 보내려고 했는데 잘 되었다. 한 봉지를 프라이팬에 넣고 친구가 알려준 대로 중불에서 약 10분 정도 노릇노릇하게 볶았다.

전기 레인지에 10분으로 타이머를 맞추고 타지 않도록 중 불로 볶았다. 보기에도 잘 볶아진 것 같았다. 땅콩이 식은 후에 먹어보니 정말 고소하고 맛있었다. 이렇게 맛있는 땅콩은 처음인 듯 자꾸 손이 갔다.

아침에 일어나 보니 밤에 작은아들이 축구 경기를 시청하며 땅콩을 안주 삼아 맥주를 마신 것 같았다. 남편도 작은아들도 땅콩이 맛있다고 한다. 고생한 친구 덕에 맛있는 국산 햇땅콩을 먹을 수 있었다. 농사짓는 일이 힘든 일임을 알기에 친구가 고마웠다. 다시 한 봉지를 볶아서 식힌 다음에 지퍼백에 담아서 아들 갈 때 보냈다. 며느리랑 맛있게 먹으면 좋겠다.

나도 작년 8월 말에 퇴직하였다. 퇴직한 지인 중에 강화도, 양평, 가평 등에 세컨드 하우스를 마련하신 분이 여럿 있다. 가끔 초대받아 가보면 정말 좋다. 일주일 중 본가에서 며칠 지내고, 형편에 따라서 주중이나 주말에 세컨드 하우스에서 지내면 지루하지 않고 사는 재미가 있을 것 같다. 그런 지인 덕에 가끔 힐링하는 나는 인복이 많은 사람이다.

내년에는 친구가 땅콩 농사를 많이 지어 더 많은 땅콩을 주문할 수 있기를 기대해 본다. 친구도 농사 2년 차가 되니 올해보다는 잘하겠지. 고생 많았다, 친구야! 덕분에 땅콩 맛있게 잘 먹었다.

23년 동안 같은 아파트에 사는 우리

우리는 2000년 3월, 인천 서구에 있는 아파트에 입주하여 23년이 넘도록 같은 아파트에 살고 있다. 물론 돈으로 따지면 손해를 많이 보았지만, 아들 둘 대학 졸업시키고, 장가도 보내고, 손자도 세 명이나 선물 받았으니 얻은 것이 더 많다고 생각한다.

결혼하고 서울에 살았다. 처음에는 전세를 살다가 결혼 4년 차에 엘리베이터가 없는 5층 아파트를 사서 이사하였다. 요즘은 집 사기가 어렵지만, 예전에는 결혼하여 맞벌이하며 월급 아껴서 저축하면 집을 살 수 있었다. 그 집에서 아들 둘을 낳아서 키우다 보니 좁아서 같은 단지 내에 있는 조금 큰 평수 아파트로 융자 오백만 원을 받아서 이사하였다. 5층 아파트라 재건축이 진행되었는데 재건축도 될 듯 말 듯 시간을 끌었다. 언제 될지 몰랐다.

남편은 본적이 서울이다. 늘 서울을 벗어나고 싶어 했다. 마침 건설업인 남편 회사에서 아파트 공사를 하게 되었다. 나는 남편과 다르게 대학 다닐 때부터 계속 서울에서 살아서 서울을 벗어나면 못 살 것 같았다. 하지만 남편이 너무 간절하게 이사하고 싶어 해서 공사하는 아파트를 분양받았다.

살던 아파트는 내부 인테리어를 잘해 놓아서 쉽게 팔렸다. 입주하기 전에 잠시 작은 아파트에 전세로 살았다. 입주할 아파트는 IMF가 터져서 공사가 지연되어 예정보다 입주가 늦어졌다. 드디어 아파트가 완성되어 2000년 3월에 입주하게 되었다.

입주할 때까지 서울을 떠난다는 것이 너무 심란해서 즐겁지 않았다. 입주할 아파트인데 딱 한 번밖에 방문하지 않았다. 서울로 출퇴근하는 것도 문제였고, 아이들 학교도 걱정이 되었다. 이사하며 결혼할 때 장만한 가구와 가전제품은 모두 버렸다. 새 가구를 들이고 가전제품도 새것으로 다 바꿔서 입주하였다. 그래도 기쁘지 않았다. 입주하는 날도 나는 출근하고 이사도 남편이 다했다. 물론 이삿짐센터 도움을 받았다.

이사 와서 좋은 점은 아파트가 제법 크다는 거였다. 아파트가 조금 크다 보니 처음에는 현관부터 끝에 있는 안방까지 아주 길게 느껴졌다. 살다 보니 크다는 생각이 안 든다. 주방도 넓고 거실도 넓어서 좋았다. 아들 둘도 방을 하나씩 쓰게 하였다. 서재도 만들고 드레스룸도 있다. 좋은 점은 방이 많고, 공간이 넓다는 것뿐이었다.

처음 입주하다 보니 교통도 안 좋아서 승용차로 출퇴근할 수밖에 없었다. 아파트에서 자체 전세버스를 마련하여 송정역까지 운영해 주었다. 가끔 이용했지만, 시간이 맞지 않아 주로 승용차로 출퇴근하였다. 운전면허는 오래전에 따 놓았는데 장롱면허라 그동안 운전을 안 했다. 이사 오기 전에 시내 연수를 다시 받고 집과 학교를 몇 번 오가는 연습 운전을 하고서야 차를 가지고 출근하게 되었다.

어느 날 아들 둘을 태우고 집에 오다가 길을 잘못 들어 행주대교를 건너간 적도 있다. 그때 얼마나 당황했던지 지금도 가슴이 떨린다. 지금이야 친절한 네비게이션이 있으니 운전하기 얼마나 좋은가. 난 길치가 맞다. 공간 지능이 낮아 지금도 주차를 참 못한다. 그래도 지금까지 뒤에서 받힌 적이 한 번 있었고 그 외는 사고도 없었다.

서울에 사는 친구들이 아이들 대학도 보내고 했으니 다시 서울로 나오라고 했다. 나도 가고 싶다. 그런데 그사이에 서울 집값은 껑충 뛰었고, 인천 집값은 많이 오르지 않았다. 하지만 지금 살고 있는 집이 너무 편하고 주변 환경도 좋아서 서울로 나가고 싶은 마음은 크지 않다.

2000년 3월에 우리 동에서 두 번째로 입주해서 23년 넘게 같은 집에 살고 있다. 비슷한 시기에 입주한 집은 다 이사 나가고 없다. 오래 살다 보니 곳곳이 낡고 지저분해져서 욕실도 리모델링하고, 싱크대도 교체하였다. 마루도 바꾸고, 새시도 모두 교체하였다.

작은아들이 쓰던 방도 베란다를 터서 넓게 만들어 주말에 오는 쌍둥이 손자 방으로 바꾸었다. 큰아들 쓰던 방은 붙박이장을 맞추어 드레스룸으로 바꾸었다. 아파트는 도배만 해도 새집이 된다. 우리 집에 오면 새 아파트 같다고 한다. 이사 가는 비용이 아파트 리모델링 하는데 들어갔다고 보면 된다.

아들 둘이 장가가서 분가하면서 둘이 살다 보니 집이 너무 넓다고 생각한다. 그런데 손자들이 놀러 오면 넓어서 좋아한다. 그네 미끄럼틀도 타고 트램펄린도 들여놓았다. 며느리가 어린이집보다 좋다고 하였다. 이리 뛰고 저리 뛰며 신나게 노는 손자들을 보며 이사 가지 않은 것이 다행이라는 생각이 들었다. 아파트 옆에 동산도 있고, 아파트 단지와 연결된 근린공원도 있다. 베란다에서 눈 오는 산을 볼 때면 꼭 시골 별장에 있는 기분이 든다. 요즘 세컨드 하우스가 유행인데 서울에 사는 사람들에게는 꼭 세컨드 하우스 같겠단 생각이 든다.

오래 살다 보니 제2의 고향이 되었다. 골프 연습장에서 함께 운동하던 지역 주민들과 언니 동생 하며 친하게 지낸다. 애경사도 함께하고 모임도 만들어 정기적으로 만난다.

몇 년 전부터 우리 동네 옆에 신도시가 건설되면서 아파트가 많이 지어졌다. 2016년에 지하철도 개통되어 서울 나가기가 편해졌다. 아파트 바로 앞에 지하철역이 있으니 편리하다. 이제 승용차 없이도 못 가는 곳이 없다. 사는데 전혀 불편하지 않다. 아파트가 오래되다 보니 아파트 나무도 함께 나이 들어 녹음이 우거졌다. 봄이면 아파트 산책길 양쪽에 20년이 넘는 벚나무가 벚꽃으로 화려하다. 벚꽃 구경 갈 필요가 없다. 곳곳에 있는 키 큰 잣나무도 멋지다. 우리 집 베란다 앞 살구나무에는 살구꽃이 떨어진 자리에 주황색 살구가 주렁주렁 달리고, 여름에는 새들의 보금자리가 된다. 새집을 짓고 알을 품어 새끼새도 태어난다.

아무래도 우린 이곳 아파트가 재건축될 때까지, 아니 이 세상 떠날 때까지 살지 않을까 생각된다. 집이 참 편하다. 이사 가지 않으니 베란다에서 반려 식물도 많이 키운다. 23년이 넘게 살은 아파트가 참 좋다. 세상에서 가장 좋은 우리 집니다.

감기로 고생했지만, 따뜻한 손길로 감사한 한 달

남편이 거의 한 달 동안 감기로 고생했다. 이렇게 오래 아프긴 처음이다. 이번에 아프고 보니 나이는 못 속인다는 말을 둘 다 실감했다. 살면서 건강이 가장 중요함을 뼈저리게 느꼈다.

일흔 살 남편은 교회에서 10년 이상 1부 성가대 대장으로 사역을 감당했다. 매주 주일 아침 6시에 가장 먼저 교회에 가서 교회 문을 열고 성가대 연습 준비를 하였다. 이번에 10년 동안 하던 1부 성가대 대장을 내려놓았다. 그래도 성가대 테너 파트에서 찬양은 계속한다. 정말 자랑스러운 남편이다.

성가대에서 기침도 하고 감기가 낫지 않는 것을 걱정하신 집사님이 귤을 보내 주셨다. 아시는 분이 제주도에서 귤 농사를 짓는다고 했다. 금방 딴 귤을 한 상자 보내 주셨다. 귤은 크기가 큰 것과 작은 것 등이 섞여 있었다. 크기는 들쑥날쑥하였으나 고마운 마음이 담겨서 더 맛있게 느껴졌다. 귤나무에 붙어있는 귤나무 가지 하나도 보내 주셔서 쌍둥이 손자가 보며 신기해했다.

금방 딴 귤이라 무척 싱싱했다. 처음에는 약간 신맛이 났는데 용기에 담아 실내에 들여놓으니 단맛이 났다. 껍질도 얇고 싱싱해서 맛있었다. 나도 감기 기운이 남아 있어서 덕분에 부지런히 먹었다.

귤은 빨리 먹어야지, 그렇지 않으면 상해서 버린다. 지난번 친구들과 과천 서울대공원 갈 때도 가져가고, 근무하는 학교에도 가져다드렸다. 아들네도 보내주었는데 많이 남았다. 남은 것은 남편도 챙겨주고 나도 열심히 먹었다. 귤 덕분인지 감기가 많이 나았다. 귤을 보내주신 집사님께 감사드린다. 덕분에 감기도 좋아졌고, 우리도 다른 분들께 귤을 나누어 드리며 따뜻한 나눔을 실천할 수 있었다.

지난주에는 같은 아파트 단지에 사는 시누이가 오빠가 감기 걸린 것을 알고 잘 먹어야 한다며 구룡포 과메기를 가져다주었다. 남편도 나도 약간 비릿한 바다 냄새나는 과메기는 그리 좋아하지 않는다. 그래도 생각해서 가져다준 것이라 약이라고 생각하고 잘 먹자고 했다.

마침 사다 놓은 알배기 배추가 있었다. 초고추장에 레몬즙과 통깨를 넣어 듬뿍 찍어 먹었다. 나는 생마늘도 청양고추도 못 먹어서 초고추장 맛으로 먹었다. 평소에 잘 먹지 못하는 별식이라 먹으면 기력도 회복될 것 같아 눈 딱 감고 먹었다.

감기가 오래가다 보니 주변에서 걱정을 많이 해주셨다. 기침과 인후염에 도라지가 좋다는 말씀을 들었다. 생각해 보니 냉장고에 도라지 정과가 있는 게 생각났다. 예전에 내가 감기 걸렸을 때 큰 며느리가 보내주었는데 몇 개 먹고 잊고 있었다.

도라지 정과를 꺼내놓고 남편에게 먹어보라고 했다. 남편은 가끔 엉뚱한 생각을 한다. 정과는 도라지를 소금물에 데쳐서 꿀이나 설탕물로 졸인 것이다. 냉장고에 넣으면 딱딱해지는데 상온에 꺼내놓으면 다시 부드러워진다. 남편이 잘라서 끓이면 도라지 차가 될 것 같단다.

나는 그냥 먹자고 했더니 벌써 몇 개를 잘라서 냄비에 끓였다. 하루에 안 되니 퇴근 후 저녁 먹고 한 시간씩 삼 일 동안 끓여서 도라지 차를 만들었다. 신기하게 덩어리가 하나도 없고 맑은 차가 되었다. 그 끈기를 칭찬해 주고 싶다. 만든 도라지 차는 유리병에 넣어 냉장고에 보관했다.

주말이라서 아침은 커피를 내려서 지난주에 만들어 놓은 샐러드빵을 먹었다. 샐러드빵 속이 물기도 안 생기고 처음 했던 그대로였다. 양배추와 오이 등 채소를 살짝 절여서 만든 것이 신의 한 수다. 지난주는 아침마다 샐러드빵 하나와 커피로 아침을 대신했다. 1주일 이상 먹어도 물리지 않고 여전히 맛있다. 내가 빵을 좋아하는 것이 분명하다.

오전 11시경에 과일을 깎아서 도라지 차를 타서 먹었다. 생각보다 맛있었다. 잣이 있으면 몇 개 동동 띄우면 좋을 것 같았다. 기침에 좋다고 하니 하루에 한 번은 도라지 차를 마시자고 했다. 감기가 나았지만, 기침이 완전하게 없어진 것이 아니라서 계속 조심해야 한다.

남편은 요즘 한약을 잘 챙겨 먹는다. 한약을 먹으며 감기가 거의 나았고, 기력도 조금 회복되었다. 안 먹던 한약을 오랜만에 먹으니 효과가 있었으면 좋겠다. 이제 병원 처방 약은 먹지 않는다. 한약과 도라지 차로 남아 있는 감기 기운이 모두 사라지길 기대해 본다.

이번에 오랜 감기로 많은 분이 염려해 주시고 위로해 주셨다. 감기에 좋은 것도 챙겨주셨다. 이번 감기로 염려해 주신 모든 분께 감사드린다. 주변에 아파서 힘들어하시는 분이 계시면, 다음에는 우리가 받은 감사를 나눠주리라 다짐해 본다.

매년 연말에는 교회에서 불우이웃돕기 일일 찻집을 한다. 일일 찻집의 수익금은 어려운 이웃과 학생들을 위해 장학금으로 전달한다. 매년 일일 찻집 티켓을 사는데 올해는 좀 더 많은 티켓을 사려고 한다. 아는 분을 돕는 것도 중요하지만, 이웃의 어려운 분이나 학생들을 도와주는 것도 의미가 크다고 생각한다. 정기적으로 다른 단체에도 조금씩 기부하고 있다. 연말에는 우리 모두 어려운 이웃을 돌아볼 수 있기를 기대해 본다.

많은 돈은 아니지만, 그동안 조금씩 들어온 인세도 있고, 원고료도 따로 모아 두었다. 이 돈은 보람 있는 일에 쓰고 싶어서 쓰지 않고 저축해 두었다. '티끌 모아 태산'이라는 말이 있다. 그리 많지는 않아도 글쓰기를 하면서 조금씩 모은 돈을 보람 있는 일에 쓸 수 있어서 기쁘다.

연말이다. 부족하지만 이웃을 위해 조금이나마 나눔을 실천할 수 있어서 감사하다. 퇴직하고 글쓰기에 도전한 건 참 잘했다. 내년에도 열심히 글 써서 글로 사람을 위로해 주고, 차곡차곡 원고료도 모아서 올해보다 더 많은 돈을 기부할 수 있기를 기대해 본다.

이번에 감기로 고생하며 다른 사람의 도움을 받고 보니 건강의 중요성뿐만 아니라 나눔의 소중함이 중요함을 느낀다.

연말에 수여한 우리 집 식물상

반려동물 대신 반려 식물을 키운다. 지금 사는 아파트에 입주하면서 키우기 시작했으니 벌써 23년이 넘었다. 이사한 집은 베란다가 길고, 오전에 햇빛이 잘 들어서 식물 키우기에 안성맞춤이었다. 환경이 좋다 보니 식물도 잘 자랐다. 사실 반려 식물이란 용어도 최근에 나왔으니 그냥 '식물도 우리 식구다.' 하는 마음으로 정성을 다해서 키웠다.

처음에는 산세베리아 몇 개와 행운목, 꽃기린 등 화분이 많지 않았다. 살다 보니 화분을 하나둘 사게 되어 화분이 많아졌다. 중간에 죽은 화분도 있으나 대부분은 오래 키운 식물이다. 산세베리아는 어느 해 추운 겨울에 얼어서 죽었고, 행운목도 이상하게 싱싱하게 자라지 않았다. 아까웠지만 보내주었다.

그러다가 2011년 9월부터 동양란을 키우게 되면서 화분을 조금 정리하였다. 지금은 동양란 화분 40여 개와 군자란, 알로카시아, 개운죽, 호야. 천냥금, 벤자민, 제라늄, 호주 삼나무인 아라우카리아 등을 키우고 있다. 그래도 양쪽 베란다에 화분이 가득하다.

매년 연말이 되면 방송에서 여러 가지 시상식을 한다. 가요대상, 연

예대상, 연기대상 등에서 수상자, 특히 대상 수상자가 궁금하다. 다사다난했던 2023년 한 해를 보내면서 우리 집 베란다에 있는 식물에게 올해의 식물상을 주려고 한다. 우리 집 반려 식물 중 으뜸은 어느 것일까.

올해의 대상인 기쁨상 : 봄에도 겨울에도 나를 위로한 군자란

모두 귀하고 사랑스러운 화분이지만, 올해 유독 나를 기쁘게 해준 식물이 있다. 이름도 멋진 군자란이다. 지난 2월 말에 86세인 친정엄마가 천식으로 입원하셨다가 기관지 내시경을 받으시다 심정지로 돌아가셨다. 마음의 준비도 하지 못했는데 갑자기 이별이란 큰 슬픔을 마주하게 되었다.

3월이 되었는데도 아직 내 마음에는 봄이 찾아오지 않았다. 겨울처럼 칙칙하고 흐릿한 하늘이었다. 벚꽃이 거리를 덮을 때쯤엔 내 마음에도 봄이 찾아왔으면 좋겠다고 생각했다.

그러던 중 3월 중순에 베란다 군자란 화분에서 꽃대가 쑤욱 올라왔다. 꽃이 피기를 기다렸다. 주말에 한두 개가 나팔처럼 꽃망울을 터트리더니 어느 날 화분 세 개에서 군자란이 활짝 피었다. 모두 다섯 개의 꽃대에서 꽃이 피니 베란다가 봄을 맞아 화사했다. 꽃 색깔도 주황이라 초록 잎과 대비되어 화려함의 극치였다. 마치 등불을 밝힌 듯 베란다가 환해졌다.

환하게 베란다를 밝혀준 군자란꽃이 마치 친정엄마가 찾아온 듯 반가웠다. 활짝 핀 군자란꽃이 몇 주 동안은 우리 집에 행복을 안겨주며

베란다를 환하게 지켜주었다. 군자란이 나팔 불며 '이제 어두운 마음 내려놓고 봄을 느끼세요.'라고 위로하는 것 같았다.

신기하게 군자란 하나가 올겨울 11월에 꽃이 피었다. 아마 더웠다 추었다 하는 요란스러운 날씨에 봄이 온 줄 알고 피었나 보다. 남편과 내가 감기에 걸려 고생하고 조금 호전되었던 시기였다. 봄에도 위로해 주더니, 초겨울에도 찾아와 기쁨을 주었다.

우리 가족에게, 특히 마음이 힘들었던 나를 위로해 준 군자란에게 올해의 대상을 수여하노라. 꽃말처럼 고귀한 그대에게 '기쁨상'을 수여한다.

올해의 최우수상인 희망상 : 죽은 줄 알았던 알로카시아

두 번째 수상자는 알로카시아다. 알로카시아가 우리 집에 온 지는 2년 정도 된다. 처음에 올 때는 작은 모종으로 왔는데 쑥쑥 자라서 큰 화초로 자랐다. 알로카시아는 쌍둥이 손자 중 둘째가 좋아하는 식물이다. 좋아하는 이유는 잎이 하트 모양이기 때문이다.

잘 자라던 알로카시아가 올여름에 잎에 갈색 반점이 생기며 시들기 시작했다. 가만히 놔두면 다른 화분까지 병이 옮을 것 같아서 밑동을 싹둑 잘라주었다. 아예 죽을지도 모른다는 불안감이 있었지만, 뿌리에서 새로운 싹이 나올 수도 있다는 희망을 가져 보았다.

햇빛을 피해 그늘진 옆 베란다로 옮기고 가끔 물을 주었다. 신기하게 가을에 새순이 올라왔다. 죽었을까 봐 걱정했는데 새순이 나오는 것을 보며 제자리로 화분을 옮겼다. 정성을 다해 돌봐 주었다. 줄기를

잘라준 다른 화분에서도 새순이 나와서 우리 가족에게 희망을 주었다.

알로카시아 화분이 안 보이자 울먹이던 쌍둥이 손자가 알로카시아 화분을 보자

"할머니, 알로카시아 다시 왔어요."

하며 행복해했다.

죽을지도 모른다고 생각했던 식물이 새 삶을 살게 되었다. 다시 태어난 삶은 더 튼튼하게 오래 살길 기원한다. 죽었다가 다시 살아난 그대에게 '희망상'을 수여한다.

올해의 우수상 끈기상 : 별처럼 다시 꽃 피워낼 호야

세 번째 수상자는 호야다. 몇 년 전에 호야꽃이 피었다. 꽃이 별 모양이라 별처럼 빛났다. 마치 가짜 꽃(조화) 같았다. 보는 사람마다 진짜 꽃 맞냐고 물어보았다. 꽃도 오래 볼 수 있어서 행복했다.

그러던 호야가 조금씩 시들어 줄기와 잎이 몇 개 안 남았다. 햇볕을 쬐어주고 통풍을 해주면 살아날 것 같아서 베란다 문 쪽에 두었다. 하지만 이전의 모습은 살아나지 않았다. 아무래도 이식 수술이 필요할 것 같았다. 조금 큰 다른 호야 화분에서 가지를 두 개 잘라서 물에 담가두었다.

시간이 지나자 줄기에서 뿌리가 나오기 시작했다. 두 달 정도 두었다가 뿌리가 길게 나와서 호야 화분에 심어주었다. 잘 살아서 무럭무럭 자라길 기도했다. 기도를 들어주셨는지 이식 수술은 성공이었다.

옮겨 심은 호야 화분은 가을 햇빛과 시원한 바람을 맞으며 잘 자랐

다. 12월 초인데 꽃이 피었던 그 시절처럼 싱싱하게 자랐다. 세 번째 우수상은 올 한 해 죽다 살아난 호야에게 '끈기상'을 수여한다. 내년에는 별꽃을 피워 주지 않을까 기대가 된다.

반려 식물도 키우다 보면 반려동물 못지않게 행복을 준다. 때론 힘들 때 위로해 주고, 외로울 땐 친구도 되어준다. 반려 식물도 자식 키우는 것처럼 정성을 다해야 한다. 바쁘다 보면 바로 누런 잎도 생기고 아픈 아이도 생긴다. 아침마다 베란다에 나가서 인사하고, 퇴근하면 온종일 잘 있었는지 안부를 묻는다. 우리 집 반려 식물은 사랑이고 행복이고 희망이다.

누구나 상을 받으면 기분이 좋다. 상을 주는 나도 기쁘다. 상에서 밀리긴 했지만, 동양란도 키다리 개운죽도, 천양금도 모두 귀하다. 내년에는 그들에게도 멋진 상을 주리라 다짐한다.

올 한 해를 마무리하며 1년 동안 고마웠던 분이나, 고마웠던 것(일)에게 멋진 상을 수여하고 행복하게 한 해를 마무리하기를 바란다.

2024년 새해는 밝은 태양이 떠올라 희망찬 한 해가 되리라 믿는다. 나도 다른 사람에게 감사의 상을 받을 수 있도록 새해에는 다른 사람을 배려하고 봉사하며 더 열심히 살아야겠다.

남편의 홈쇼핑 사랑으로 우리 집은 언제나 맛집

오늘도 어김없이 현관 앞에 택배 상자가 놓여 있었다. 남편이 시킨 택배다. 함께 텔레비전을 시청하고 있는데 남편이

"저거 참 맛있겠다. 요즘 날씨에 딱 어울리는 음식이네. 살까?"

바로 핸드폰으로 주문한다. 이번에 주문한 것은 알탕 밀키트였다. 동태와 알, 육수, 매운 매운탕 양념이 들어있어서 바로 끓이기만 하면 될 것 같았다.

남편이 퇴근하며 마트에 들러서 미나리 한 단도 사 왔다. 밀키트 한 봉지는 적을 것 같아서 전골냄비에 알탕 두 봉지를 넣고 육수를 부었다. 냉장고에 있는 호박과 무도 납작납작 썰어 넣었다. 보글보글 끓을 때 매운 양념을 넣고 마늘과 미나리를 넣었다. 미나리 향이 참 좋았다. 나는 생각하지 못했는데 미나리를 넣으니 정말 유명한 매운탕 집에서 파는 알탕처럼 고급스러운 음식이 되었다. 마지막에 썰어놓은 대파를 넣으니 먹음직스러운 알탕 매운탕이 되었다.

우리 집 냉장고에는 남편이 홈쇼핑에서 주문한 밀키트가 많다. 남편은 스스로 서 세프라고 하며 음식 만드는 것을 좋아한다. 오늘은 알탕

과 꼬막무침이다. 꼬막도 홈쇼핑에서 주문한 것인데 껍질을 벗기고 고온 살균한 것이라 뜨거운 물에 해동한 후에 바로 초고추장에 무치면 맛있는 꼬막무침이 된다. 그냥 파만 송송 썰어 넣고 초고추장과 레몬즙만 조금 넣어 무쳐서 알탕과 같이 먹었다. 나는 꼬막 비빔밥을 좋아해서 밥에 꼬막무침을 넣어서 비빔밥으로 만들어 먹었다.

언제부터인지 우리는 외식을 하지 않는다. 예전에는 둘 다 직장에 다니다 보니 바쁘고 피곤하다는 핑계로 외식을 많이 하였다. 집에서 음식을 만들면 만드는 시간도 오래 걸리고 먹고 치우는 시간도 만만찮기에 주로 퇴근하면서 간단하게 사 먹고 들어왔다. 식구도 둘이다 보니 만들어 먹는 것보다 사 먹는 것이 돈도 적게 들었다.

그러다가 남편이 먼저 퇴직하여 집에 있다 보니 텔레비전 시청이 많아졌다. 요즘 채널을 돌리다 보면 홈쇼핑을 건너뛸 수 없어서 자연스럽게 보게 된다. 저녁 시간에는 왜 그리 먹는 방송이 많이 나오는지, 보는 것마다 다 맛있어 보인다. 홈쇼핑 쇼 호스트는 언어의 마술사라 방송하는 것마다 호기심을 자극한다. 하나둘 사서 냉동실에 쌓아 놓고 꺼내서 요리해 먹다 보니 남편의 음식 솜씨가 좋아졌다.

요리도 이것저것 응용하게 되어 원래 제품보다 훨씬 맛있는 요리로 변신하였다. 내가 맛있게 먹자 남편도 요리에 재미가 붙어서 요즘 우리 집 주방의 주방장은 남편인 서 세프가 되었고, 나는 상 차리고 치우는 보조가 되었다. 어제는 냉동실에 있는 도가니탕을 꺼냈다. 요즘 둘 다 감기에 걸려서 뜨끈한 국물이 먹고 싶었는데 도가니탕에 파를 듬뿍 넣어 오래 끓여서 먹으니 국물이 뜨거워 목이 시원해졌다. 얼마 전에 담근 총각김치가 맛있게 익어서 함께 먹으니 다른 반찬이 필요 없었다.

우리 집 냉동실에는 알탕과 꼬막 외에도 부대찌개, 안동 간고등어, 떡갈비, 간단하게 간식으로 먹을 수 있는 핫도그 등이 있다. 기본으로 김장 김치와 파김치, 총각김치, 오이지무침, 멸치볶음, 구운 김 등이 있어서 그냥 하나만 꺼내서 요리하면 한 끼는 충분하다.

아침은 간단하게 먹고 점심은 직장에서 먹다 보니 남편과 먹는 식사는 저녁 한 끼뿐이다. 저녁을 가볍게 먹어야 한다지만, 우리 집은 저녁을 가장 잘 먹는다. 그것도 남편이 즐겁게 요리할 수 있는 기회를 주려고 메뉴도 늘 남편이 정한다.

벌써 주말이다. 이번 주말에는 우리 집 요리사 서 세프가 무슨 음식을 해줄까 기대된다. 아마 주말이니까 고기를 사서 구워 먹고 부대찌개 정도 해 먹지 않을까 싶다. 어쩜 나 몰래 다른 밀키트를 주문했을지도 모른다. 남편의 홈쇼핑 사랑으로 저녁 식사마다 우리 집은 유명한 맛집이 된다. 냉동실에 가득한 밀키트가 골라 먹는 재미도 있다.

홈쇼핑에 나오는 밀키트는 대부분 유명 세프가 자기 이름을 걸고 파는 것이라 신경 써서 만들었다고 생각한다. 한 번 사 먹어보고 맛있으면 다음에 재주문을 한다. 믿을 수 있기 때문이다. 물론 만족도가 떨어지는 것도 있다. 그런 것은 다음에 다시 주문하지 않는다. 이런 고객의 마음을 알기에 많은 시행착오를 거쳐서 완벽한 제품을 만들 거다.

요즘 요리하는 것이 참 편하다. 요리학원 다니지 않아도 인터넷에 검색만 하면 동영상으로도 친절하게 안내해 준다. 재료와 만드는 방법뿐만 아니라 재료 다듬는 것까지 세밀하게 알려준다. 요리에 관심만 가지면 누구나 훌륭한 요리를 할 수 있다. 방송에도 요리 프로그램이 넘쳐 나니 남자분들도 자연스럽게 요리에 관심을 두게 된다.

그뿐만 아니라 요리 재료도 사러 가지 않아도 손 터치 한 번으로 새벽에 문 앞까지 배달해 준다. 사러 다니는 수고가 필요 없다. 다양한 맛간장과 소스 등도 다 만들어 보내주니 얼마나 쉬운가. 요리에 꼭 필요한 재료를 비교하여 최적의 재료도 살 수 있다. 요리를 쉽게 할 수 있는 이유다.

우리가 돈을 버는 것도 다 먹자고 하는 일이다. 하루를 힘들게 보내고 저녁에 가족과 맛있는 음식 만들어 먹는 것이 행복이다. 남편이 만든 요리를 앞에 두고 "임금님 수라상보다 훌륭하다."고 말해준다. 그 말에 남편이 어깨를 으쓱한다. 아마 내일도 냉장고에 있는 밀키트로 훌륭한 요리를 만들 것이다.

남편의 홈쇼핑 사랑으로 우리 집은 늘 웃음 가득한 맛집이 될 거다.

매실액과 친정엄마

늘 냉장고에 매실액을 쟁여두고 살았다. 매실액은 반찬 할 때 새콤달콤한 맛을 내고 싶을 때 넣었다. 가끔 소화가 안 되거나 배탈이 날 때는 원액을 따라서 조금 마셨다. 시원한 음료수가 생각날 때는 얼음을 동동 띄워서 마셨다. 파김치 등 김치를 담글 때도 넣었고, 삼겹살 먹을 때 파채에도 넣어서 만들었다.

그날도 요리하다가 매실액을 넣으려고 냉장고를 열었는데 매실액이 없었다. 생각해 보니 연말에 김장할 때 남은 것을 다 넣었던 것이 생각났다. 갑자기 매실액을 어디서 사야 할지 캄캄해졌다.

그동안 매실액은 늘 친정엄마가 담가 주셨다. 봄마다 매실을 사서 항아리에 설탕과 함께 넣어 비닐로 입구를 꽁꽁 싸매고 뚜껑을 덮어 부엌 그늘진 곳에 놓아두었다. 매실액은 100일이 지난 후에 꺼내서 매실은 장아찌로 만들고 매실액은 페트병에 넣어서 보관하셨다.

자식들이 집에 가면 몇 병씩 주셨다. 잘 익은 매실액이 정말 맛있었다. 가져온 매실액은 사용하기 좋게 작은 페트병에 나누어 담아 두었다가 사용했다. 먹다가 떨어지면 친정엄마가 또 주셔서 늘 매실액이 떨어진 적이 없었다. 매실액이 떨어진 걸 보며 친정엄마의 빈자리가 얼마나 큰지 알겠다. 더불어 그동안 내가 얼마나 편하게 걱정 없이 살았는지 느꼈다.

매실액을 만들어 주시던 친정엄마가 작년 봄에 돌아가셨다. 돌아가시기 전에 인지가 나빠지셔서 큰 딸인 우리 집에 오셔서 18개월을 함께 살았다. 후회된다. 엄마가 우리 집에 계실 때 매실액 만드는 법을 배웠으면 좋았을 걸 그땐 그 생각을 못 했다. 엄마가 오래오래 내 곁에 계실 줄 알았다. 그렇게 갑자기 떠나리라곤 상상도 못 했다. 그리고 그때는 엄마가 담가 주신 매실액이 남아 있어서 담글 생각을 안 했을 거다.

매실액을 어디서 사야 하나 걱정하고 있는데 내 마음을 알았는지 홈쇼핑에서 매실액을 방송했다. 함께 방송에 나오신 홍쌍리 매실 장인이 왠지 친정엄마가 보내주신 분처럼 반가웠다. 60년 동안 매실만 연구하신 매실 장인이라고 하셨다. 믿음이 가서 방송을 보다가 매실액을 주문했다.

주문한 상품이 도착했다. 매실액 넉 병과 매실장아찌, 고추장 매실장아찌, 매실 고추장, 매실 된장 등이다. 어찌나 반가운지 택배를 풀자마자 매실액 병을 따서 컵에 얼음을 넣고 매실주스를 만들어 마셨다. 엄마가 만들어 주신 맛과 다른 맛이었지만, 진한 맛이 느껴졌다.

보통 매실액은 매실과 설탕을 1:1로 버무려서 용기에 담아서 100일 정도 두었다가 거르는데, 홍쌍리 매실액은 매실 1, 설탕 0.5, 올리고당 0.5로 담근다고 한다. 색깔도 일반 매실액보다 진하다. 건강에도 좋다고 하니 자주 먹어야겠다.

지난번 친구 모임에 갔을 때 한 친구가 요플레 만드는 종균을 작은

통에 담아 나눠 주었다. 모임 끝나고 들어오며 슈퍼에서 900ml 흰 우유를 사 왔다. 우유 팩에 친구가 준 종균을 넣고 나무 수저로 저은 후에 싱크대 위에 하루 두었더니 정말 차진 요플레가 만들어졌다. 요플레에 매실액을 넣어 보았더니 정말 맛있었다. 매일 먹으면 소화도 잘되고 변비에도 효과가 크다고 하니 하루에 한 번씩 매일 먹으려고 한다. 이제 요플레도 우유만 사면 만들 수 있으니 잊지 말고 매일 먹으며 건강도 챙겨야겠다. 요플레에 견과류와 과일, 매실액을 넣어서 먹으니 맛도 있고, 소화도 잘되는 것 같아서 종균을 준 친구가 고맙다.

매실액과 함께 배달된 매실장아찌 맛이 어떨까 궁금했다. 오늘 점심은 남은 밥으로 집에서 만든 수제 누룽지를 끓여서 매실장아찌와 먹었다. 아삭아삭한 맛이 입맛을 돋워주었다. 친정엄마가 계셨다면 맛있게 드셨을 거다. 왜 그리 갑자기 떠나셨는지 야속하다.

주말이라 작은아들이 쌍둥이 손자를 데리고 왔다. 늘 주말이면 우리 집에서 손자를 돌봐 주기에 특별한 일은 아니다. 저녁에는 미리 사다 놓은 삼겹살을 구워서 먹었다. 매실액을 넣어서 파채를 무치고, 매실장아찌를 꺼내서 먹었다. 상큼한 맛이 고기의 기름진 맛을 덮어주어 정말 맛있었다. 거기다가 묵은지도 구워서 같이 먹으니 다른 반찬이 필요 없었다.

이번 주는 정말 추웠다. 거의 영하 20도까지 내려갔다. 꽁꽁 얼었던 마음이 녹는 것 같았다. 쌍둥이 손자도 고기가 맛있다고 한다. 쌍둥이 손자가

"왕할머니 언제 오세요?"

라고 묻는다. 뭐라고 대답해야 할지 망설인다. 마음속으로만

'나도 왕할머니가 한 번이라도 다시 오셨으면 좋겠다.'

라고 생각하며 먹먹한 가슴을 달래 본다. 쌍둥이 손자가 아직 왕할머니를 기억해 주어 고맙다.

"엄마 없이도 이렇게 잘살고 있으니 내 걱정하지 마시고 그곳에서 편히 지내세요."

떨어진 매실액이 친정엄마를 기억하게 해주었다. 앞으로도 친정엄마는 늘 내 곁에서 부족함을 채워주고 용기도 북돋워 주리라 믿는다.

행복 셋.

소박한 나들이로 행복한 일상

43년 지기 오 공주의 수다

43년 지기 오 공주 친구가 있다. 오늘 1년 만에 만나서 점심을 먹었다. 인천 2호선, 공항철도, 9호선 그리고 마지막 4호선, 지하철을 여러 번 바꿔 타고 사당역 12번 출구에 있는 파스텔 시티로 향했다. 다행히 평일 오전 시간이라 지하철은 붐비지 않고 여유 있었다. 서서 가기도 하고 앉아서 가기도 했지만 오랜만에 친구들을 만난다는 생각에 그저 빨리 도착했으면 좋겠다는 생각 하나뿐이었다. 오 공주는 지금 사는 곳이 동서남북으로 멀리 떨어져 있어서 중간 지점으로 약속 장소를 잡았다. 우린 만날 때 주로 교대역이나 사당역쯤으로 잡는다.

지난해 9월 중순에 퇴직한 나를 축하해 준다고 만나자고 했다. 그런데 친구 한 명이 밀대로 거실 물걸레 청소를 하다가 걸레에서 나온 물기를 밟고 그대로 미끄러지며 엉덩방아를 찧어 허리를 크게 다쳤다. 요추 압박 골절이라고 했다. 병원에 3주 입원하고 퇴원했는데 허리에 압박붕대를 감고 3개월을 지내야 한다고 했다. 퇴원해서도 잘 걷지 못해 아직 휠체어를 타고 통원 치료를 받으러 다닌다고 한다. 카톡에

"친구들아, 화장실 앞에 물기가 있는지 살피고 조심해. 그리고 발에

묻은 물기도 꼭 닦고 나오고. 나도 물기가 있는지 모르고 미끄러져서 이렇게 되었어."

그러며 골다공증 검사도 꼭 해 보고 치료하라고 한다.

괜찮겠다 싶어서 12월에 만날 수 있는지 물어보았는데 아직은 집 앞 평지만 30분 정도 걷기 연습 중이라고 한다. 차를 타고 이동하는 걸 안 해 봐서 겁이 난다고 했다. 1월 말에 친구가 많이 좋아졌는지 궁금하여 카톡을 하였는데 많이 좋아졌다고 해서 만날 날짜를 잡아서 오늘 거의 1년 만에 오 공주가 만나게 되었다.

우리 오 공주는 발령 동기이다. 교대를 다닐 때는 서로 잘 모르는 사이였다. 서울교대를 졸업하고 첫 발령을 받아서 교육지원청에 모였는데 우리 다섯 명이 같은 학교에 발령받았다. 세 명은 4학년 담임을, 두 명은 5학년 담임으로 배정되었다. 키도 고만고만하고 성격도 다 좋아서 누구 한 사람 튀지 않았다. 성격이 잘 맞았다. 퇴근 시간에는 교문 앞에서라도 얼굴을 봐야 헤어질 정도로 붙어 다녔다. 우리가 따로 다니면 선배 선생님께서 다른 병아리들 어디 가고 혼자 다니냐고 할 정도였다. 나와 두 친구는 보이스카우트 부대장이 되었고, 두 명은 걸스카우트 부대장이 되었다. 방과 후 스카우트 행사도 늘 같이 하였다.

친구 두 명은 서울이 집이었는데 공교롭게 여고 동창이었고 난 강릉, 한 친구는 춘천 그리고 한 명은 광주에서 여고를 나왔다. 첫 학교에서 나와 친구 한 명이 결혼하였고 세 명은 다음 학교에서 결혼하였다. 이상하게 부부 교사는 한 커플밖에 없었다. 지금은 부부 교사가 많지만, 그 시절만 해도 부부 교사를 선호하지 않았다.

두 번째 학교는 모두 다른 곳으로 발령이 났는데 집들이, 아이 백일, 돌 등 가족 행사에 늘 함께하며 우정을 이어나갔다. 결혼하고 집을 사고 이사하며 우린 동서남북으로 흩어지게 되었다. 집을 사서 이사할 때는 각자 멀리 떨어져 살았어도 꼭 집들이에 가서 축하해 주었다. 아이들이 크면서 1년에 몇 번씩 주기적으로 만났다. 그러며 지금까지 43년 동안 만남을 이어오고 있다.

오 공주 중 두 명이 10년 전쯤 평교사로 명예퇴직을 하였다. 한 명은 조금 늦게 교감이 되었는데 교감 3년 하고 관리자에 별 매력을 못 느껴서 명예퇴직을 하였다. 또 한 명은 가장 먼저 교감이 되고 초빙 교장으로 승진하였는데 정년 2년을 남기고 교장으로 명예퇴직을 하였다. 마지막으로 2022년 8월 말에 내가 정년퇴직을 하며 오 공주는 교직 생활을 마감하였다.

지난달 1월 둘째 주에 오 공주 중 한 친구가 부부 동반으로 세 팀이 강릉으로 여행을 간다고 했다. 지난번 만났을 때 혹시 강릉 가면 우리 집에 묵어도 좋겠다는 이야기를 했었다. 친정집이 비어 있으면 이용해도 되는지 전화가 왔다. 조금 불편하겠지만 비어 있으니 이용해도 된다고 했다. 그러며 혹시 불편할 것 같으면 강릉에 펜션을 하는 사촌 여동생이 있어서 펜션도 소개해 주었다. 같이 가는 팀과 의논했는데 우리 집으로 가기로 했다고 해서 주차하는 곳, 집 열쇠 등 안내해 주었다. 처음 여행계획은 4박 5일로 세웠는데 폭설 예보가 있어서

3박 4일을 우리 집에서 묵으며 잘 보내고 왔다고 한다.

친구 한 명은 가평에 세컨드 하우스가 있어서 혹시 놀러 가려면 미리 전화하고 그곳을 이용하라고 했다. 다른 친구 한 명이 아들 며느리 손자를 데리고 가서 1박을 잘하고 왔다고 한다. 43년 지기 오 공주 친구는 지금도 이렇게 서로 소통하고 도움을 주고받으며 잘 살고 있다. 아마 따뜻한 봄에 가평에서 모여 놀지 않을까 싶다.

점심시간이 많이 붐빌 것 같아서 조금 일찍 11시 30분에 만났다. 예약을 안 하고 2층 만남의 장소에서 만나기로 했다. 다른 친구들도 마음은 같기에 모두 일찍 나왔다.

사당역 파스텔 시티에는 음식점이 많이 있다. 어떤 음식을 먹을까 잠시 의논하다가 우리는 사보텐 돈가스집으로 갔다.

점심을 먹고 카페로 옮겨 그동안 못 나눈 이야기를 하였다. 요추 압박 골절을 당한 친구의 치료기, 지난가을 친정엄마를 하늘나라에 보낸 친구의 사모곡을 들었다. 강릉으로 부부 동반 여행 갔던 친구의 여행기와 나의 시간 강사 출근기도 나눴다. 부부 교사로 함께 퇴직한 친구의 공방 운영도 나누며 몇 시간 동안 시간 가는 줄 몰랐다. 더군다나 다섯 명 중 세 명이 쌍둥이 할머니라 손주 육아 이야기도 많이 하였다. 요즘 자식들이 결혼을 많이 하지 않는데 다섯 명 중 세 명은 숙제를 마쳤고, 나머지 두 명도 한 명씩은 결혼시켰다. 모두 손주가 있어서 자연스럽게 손자 이야기를 하게 된다.

오래된 친구이고 같은 길을 걸었기에 오랜만에 만나도 어제 만난 것처럼 편하다. 오랜만에 수다를 실컷 떨어서 그런지 돌아오는 발걸음이 가볍다. 퇴직 축하금도 많이 주어 이 돈으로 뭘 해야 할까 고민이다. 그냥 생활비로 쓰면 안 될 것 같다. 뭐라도 기념이 되거나 의미 있는 일에 써야 할 것 같다. 금방 헤어졌는데 벌써 다음 만남이 기다려진다.

건강하게 잘 지내다가 다음 만남에도
오 공주 모두 행복 보따리 가득 채워서 왔으면 좋겠다.

‘여수룬 식물원’ 카페

매월 셋째 주 월요일에 만나는 모임이 있다. 골프 연습장에서 만난 지인들 모임이다. 지난달 모임에 나갔다가 골프장에 함께 다녔던 동생이 김포에서 카페를 개업하였다는 소식을 들었다. 사업을 하는 멋쟁이 동생이다. 시간이 되면 꼭 한번 방문하고 싶었는데 이번 주에 손자가 오지 못한다고 하여 모임의 동생에게 전화를 걸어 보았다.

토요일에 혹시 시간 있으면 카페에 함께 가자고 했더니 갈 수 있다고 하였다. 함께 가면 좋을 것 같은 언니에게 전화를 걸었는데 일이 있어서 못 가신다고 하였다. 하는 수 없이 둘이 가기로 약속하였다. 토요일 11시에 동생이 우리 집으로 와서 함께 카페에 갔다. 아침부터 비가 내려서 날씨는 안 좋았지만, 마음만은 그 어느 때보다 맑았다.

가는 길에 세계에서 가장 크다는 초대형 호텔식 카페인 ‘포지티브 스페이스 566’을 지나갔다. 건물이 카페라기보다는 예식장 건물 같았다. 소문으로 알고는 있었지만 가보지 못했는데 생각보다 가까운 곳에 있었다. 가는 중간에 길옆에 주차하는 차들이 많았다. 오늘이 27일이라 김포 오일장이 서는 날이라고 동생이 말해주었다. 오일장에 와 보고 싶은데 주차가 정말 어렵다는 이야기를 들었다. 한 번도 가보지 못

했다. 길게 늘어진 차를 보니 오늘은 휴일이라 사람들이 더 많이 온 것 같았다.

조금 더 지나 벚꽃 길에 들어섰다. 식물원이 김포 사우동 벚꽃길 근처에 있었다. 식물원 이름이 '여수룬 식물원'으로 참 특이했다. '여수룬'은 성경에 나오는 말로 '전하고 의로운 자, 올바른 자, 곧은 사람'으로 하나님과 친밀한 관계 속에 있는 이스라엘 민족을 가리키는 말이다. 카페를 운영하는 동생의 큰오빠가 처음 카페 자리 땅을 사고 식물원 이름을 고민할 때 큰 오빠가 다니는 교회 목사님께서 지어 주신 이름이라고 했다. 좋은 이름이란 생각이 들었다.

식물원은 550평 위에 지어진 건물로 첫 번째 방은 유리온실로 다양한 분재가 전시되어 있었다. 주로 철쭉 종류인데 일본 등 외국에서 들여온 것이 많았고 친정어머니께서 40년 정도 키운 것도 있다고 했다. 오늘따라 꽃이 많이 피어서 정말 아름다웠다. 이렇게 다양한 철쭉꽃은 처음 보았다. 늘 길에서 보았던 영산홍과 알고 있는 철쭉이 아니었다. 사실 이 식물원 카페를 개업하게 된 것은 91세이신 친정어머니께서 늘 화초를 좋아해서 하우스를 지어 식물을 관리하셨는데 어머니를 위해 만들어 드리고 싶었다고 한다.

두 번째 방은 비닐하우스로 만들었는데 다육 식물이 가득 차 있었다. 이렇게 다양하고 화려한 다육 식물은 처음 보았다. 하나하나 살펴보니 처음 보는 다육 식물이 많았다. 꽃이 핀 것도 있었고 대부분 화분에 심어져 있었는데 대형 다육 식물도 있었다. 정말 오래 가꾼 것임을 알 수 있었다. 내가 가장 못 키우는 것이 다육 식물이다. 어쩌다가 다육 식물을 선물 받으면 처음에는 잘 키우다가 서너 달 지나면 죽고 말았다. 그래서 다육 식물은 잘 키우지 않는다. 이렇게 싱싱하게 키우려면 많은 정성과 노력이 필요하겠다는 생각이 들었다.

다육 식물 방을 지나 카페로 갔다. 1층에는 작은 연못에 잉어가 헤엄치고 테이블 몇 개가 놓여 있었다. 작지만 참 아름다운 방이었다. 한쪽 옆에는 다양한 선인장류가 자라고 있었다. 이 방을 보면 주인이 돈을 벌려고 차린 것 같지 않다는 말이 나올 만하다. 공간에 테이블이 몇 개 없었다. 그곳을 지나 카페로 올라갔다.

입장할 때 이곳은 5,000원의 입장료를 받는다. 그 입장료로 커피를 주문할 수 있다. 같이 간 동생이 지난번에도 왔었기 때문에 이곳을 잘 알아서 커피와 샌드위치, 케이크를 주문했다. 주문한 빵을 들고 2층으로 올라갔다. 전망이 좋았다. 유리창 밖으로 보이는 논에서는 벼를 심어 놓은 것이 보였다. 논을 바라보며 올해도 풍년이 들기를 기대해 본다. 비가 많이 내린다. 비가 안 오면 야외에서도 즐길 수 있는데 참 아쉽다. 야외에도 테이블이 놓여 있었고 그네도 있는 잔디밭이 꽤 넓다. 쌍둥이 손자가 오면 신나게 뛰어놀 것 같다. 다음에 날씨 좋은 날 한 번 더 와야겠다. 언제부터인지 좋은 곳에 오면 가장 먼저 손자가 생각난다. 세상의 모든 할머니 마음이라고 생각한다. 샌드위치는 보통 먹는 맛이었지만 한라봉 케이크가 너무 맛있었다.

같이 간 동생과 커피를 마시며 이 얘기 저 얘기 하며 있는데 사장님인 동생이 커피를 들고 왔다. 원래 오후에 출근해서 마무리하고 퇴근한다고 한다. 식물원을 만들게 된 동기를 듣고 리모델링하며 업자와 힘들었던 이야기를 들었다. 4월에 벚꽃 필 때를 맞추어 개업했는데 비가 와서 벚꽃이 며칠 못 갔다고 했다. 맞다. 올해는 벚꽃을 3일 정도 보았다. 어린이날 연휴에도 비가 오더니, 이번 연휴에도 비가 내린다. 카페 운영하는 입장에서는 날씨가 야속할 것 같다. 그래도 짧은 기간이지만 단골손님이 많이 생겼다고 했다. 한번 다녀간 분이 다른 지인들을 모시고 오지 않을까 하는 생각이 들었다. 특히 식물을 좋아하는 분은 더 그럴 것 같다. 나도 다음에는 다육 식물 키우는 언니와 함께 와야지 하는 생각이 들었으니까.

그냥 가기 서운하여 동생과 화분을 골랐다. 동생은 야생화와 화분 몇 개를 샀고 나는 '밴쿠버 제라늄'을 예쁜 화분에 심어서 가지고 왔다. '밴쿠버 제라늄'은 잎이 단풍나무 잎처럼 생겼다. 며칠 전에 꽃집에서 제라늄을 사서 화분에 심었는데 꽃이 피어 예쁘다. 옆에 나란히 두면 잘 어울리겠다.

비가 계속 내린다. 비 오는 휴일이지만 좋은 카페에 가서 차도 마시고 오랜만에 개업한 동생도 축하해 주어 기분이 참 좋다. 다음에 날씨 좋은 날 시간 내어 다시 꽃구경하러 가야겠다. 굉장히 넓은 식물원을 운영하려면 힘이 많이 들겠다. 힘든 일을 해 보지 않은 동생인데 까맣게 탄 팔과 발을 보며 사업이 그리 쉬운 것이 아님을 느꼈다.

친정어머니가 91세지만 아직 건강하고 여자 자매들이 도와주고 있어 지금은 의지가 많이 된다고 한다. 친정어머니가 건강하게 오래 사시며 좋아하시는 식물을 가꾸시길 바란다. 아직 사업 초기라 신경 써야 할 일도 많겠지만, 욕심부리지 말고 한가지씩 천천히 해결하라고 응원해 주었다.

건강하게 카페 운영 잘하여 동생도 행복하고 함께 도와주는 가족도 행복하고, 찾아오는 손님들도 행복하였으면 좋겠다. 오늘 카페 나들이로 행복한 하루가 되었다. 다음에 카페에 갈 때는 어떤 식물들이 반겨줄지 기대가 된다.

건강 백 년 길을 걸었다

올여름이 더워도 너무 무더워서 가을이 오기를 손꼽아 기다렸다. 추석 전까지만 해도 여름은 물러날 마음이 없는 듯 여름을 방불케 하였다. 그러다가 비가 내릴 때마다 기온이 조금씩 내려갔다. 추석이 지나면서 가을이 우리 가까이에 다가왔다. 올가을에는 비도 유난히 자주 내렸다. 가기 싫은 여름을 억지로 몰아내려는 것 같았다. 이제 가을이 깊어졌다. 이러다가 가을을 맛보기도 전에 겨울이 밀고 들어오는 것이 아닌가 싶다. 좋은 계절 가을을 오래 붙들고 싶다.

여름에 다녀온 건강 백 년 길을 다섯 살 쌍둥이 손자와 다시 찾았다. 계획을 미리 세우지도 않았다. 토요일 아침에 손자 밥 먹이고 앉아 있다가

"오늘 날씨도 좋은데 쌍둥이 데리고 건강 백 년 길이나 다녀올까?"

한 마디에 준비하고 10시 30분경에 길을 나섰다. 준비라야 마실 물과 약간의 간식을 담았다. 간식은 큰 손자가 좋아하는 뻥튀기와 둘째 손자가 좋아하는 바나나를 챙겼다.

건강 백 년 길은 영종도 둘레길 1코스로 공항철도 운서역에서 내리면 바로 갈 수 있는 숲길이다. 숲이 우거진 길이나 길이 평평해서 아이들도, 노인들도 걷기 좋은 길이다. 지난 초여름(6월 6일)에도 남편과 함께 갔었는데 산책길 가운데는 야자 매트가 깔려 있어서 걷기에 좋았다. 맨발 걷기를 하는 사람을 위해 야자 매트 가장자리는 흙길이 있다. 요즘 맨발 걷기가 인기라서 맨발 걷기를 하고 싶은 분에게도 좋은 산책길이다.

집 앞에서 지하철을 타고 가다가 다시 공항철도로 갈아탔다. 쌍둥이 손자는 지하철을 거의 타지 않아서 지하철을 타는 것만으로도 신났다. 인천공항 철도라서 여행객이 많았다. 손자는 신발을 벗고 아예 창밖을 보려고 돌아앉았다. 창밖을 보며 좋아서 환호성이다. 영종대교를 건널 때는 바다가 보여서 더 신나 했다. 마침 밀물이라 바닷물도 많이 들어와 있었다. 검암역에서는 세 정거장밖에 되지 않는 짧은 구간이었지만, 좋아하는 손자를 보며 우리도 저절로 행복했다.

운서역에서 내려서 화장실에 다녀오고 운서역이 보이게 기념사진도 찍었다. 운서역 옆에 있는 건물만 지나서 횡단보도를 건너면 바로 건강 백 년 길이다. 역에서 많이 걷지 않는 것도 건강 백 년 길의 장점이다. 지나는 길에 베이커리 카페가 있다. 카페에서 나오는 구수한 빵 냄새도 좋았다. 나는 빵순이라서 집에 갈 때 잠시 들러서 빵과 차 한 잔하고 가야겠다.

지난 초여름에 찾은 건강 백 년 길은 녹음이 우거져 있었고, 산책길 옆에 있는 숲속에는 다양한 꽃들이 피어 있었다. 장미 공원에 피어 있던 빨간 장미가 아름다웠고, 산책길 끝에 있는 생태 연못에도 수련과 붓꽃 등이 피어 있어서 싱그러웠다. 산책길 옆에 있는 나무는 벚나무로 봄에는 벚꽃을 구경하러 많은 인파가 몰리기도 한다. 오늘 찾은 건강 백 년 길에는 벌써 벚나무 잎이 다 떨어지고 앙상한 가지만 남아 있어서 추워 보였다. 조금 더 지나서 오면 화려한 단풍도 만끽할 수 있을 것 같았다. 아무래도 10월 말에 단풍 구경하러 다녀와야겠다.

건강 백 년 길 입구에서 모기 기피제를 뿌리고 걷기 시작했다. 쌍둥이 손자도 신났다. 둘째 손자가 민들레를 좋아한다. 여름이 지나면서 집 주변에서 민들레꽃을 보기가 어려웠는데, 길옆으로 민들레가 지천이다. 민들레밭 같았다. '민들레 닷!' 소리치며 민들레에 코를 박는다. 민들레 홀씨를 꺾어서 불기도 하며 천천히 걸었다. 나비도 따라가고, 새소리에 맞추어 춤도 춘다. 아파트에 살다 보니 늘 뛰지 말란 소리를 달고 산다. 자연에서 마음껏 뛰며 신났다.

생각보다 사람은 많지 않아서 한가했다. 강아지를 데리고 산책하는 분이 있었다. 신발을 들고 맨발로 걷는 모습이 보기 좋았다. 나도 맨발로 걸어볼까 하고 잠시 생각했지만, 오늘은 손자를 안전하게 돌봐야 해서 참았다. 다음에는 꼭 맨발 걷기를 실천해야겠다. 가족끼리 오신 분, 친구와 함께 오신 중년 여성분들도 있었다. 자전거를 타고 지나가는 가족도 있었다. 아마 오후에는 더 많은 사람이 산책할 것 같다.

건강 백 년 길은 약 4㎞로 500m 단위로 표시판이 있어서 내가 걸어온 거리와 남은 거리를 친절하게 알려준다. 연못까지 가려면 4㎞를 걸어야 하는데 오늘은 다섯 살 손자와 와서 1km를 지나 벤치를 찾아서 앉았다. 손자가 아직 어려서 다리 아프다고 했다. 춥지도 덥지도 않은 날씨라서 조금 걸었는데도 기분이 상쾌하였다. 벤치에 앉아서 물을 마시고 가지고 온 간식을 먹었다.

아이들이 무리하면 안 될 것 같아서 이 정도에서 돌아가기로 했다. 바지에 묻은 먼지를 털고 다시 운서역을 향했다. 아이들이 힘든지 안아달라고 한다. 왕복 3km 정도를 걸었으니 손자에게는 많이 걸은 셈이다. 집에 와서 보니 오늘 9,568보를 걸었다. 손자는 피곤한지 오자마자 씻고 곯아떨어졌다.

건강 백 년 길은 갈 때마다 매력적이다. 이름처럼 이 길을 걸으면 100살도 건강하게 살 것 같다. 숲길인데 평지라 나이 드신 분도 걷기에 좋다. 길옆으로 숲이 우거져 있고, 중간중간에 쉴 수 있는 벤치도 있다. 중간에 넓은 잔디밭도 있어서 아이들이 공을 차며 놀 수도 있다. 걸은 거리를 알려주니 자신에게 맞는 거리를 걸으면 된다. 오늘은 어린 손자와 함께 가서 많이 걷지 못했지만, 요즘처럼 날씨 좋은 가을에 시간 있을 때마다 자주 가려고 한다. 다음에는 4km를 완주해야겠다.

이제 100세 시대라고 한다. 120세까지도 살 수 있다고 한다. 오래 사는 것이 중요한 것이 아니고 건강하게 오래 사는 것이 중요하다. 멀지 않은 곳에 좋은 둘레길이 있어서 참 좋다. 나이 들면 걷기가 가장 좋은 운동이라고 한다. 공항철도를 타고 가니 꼭 여행 가는 기분으로 갈 수 있다.

여행 가는 기분으로 건강 백 년 길을 찾아 건강을 가득 채워야겠다.

강화도 올리브 하우스

강화도에 새로 집을 지은 지인이 있어 1박 2일로 몇 명이 다녀왔다. 우린 가기 전부터 집 이름이 왜 올리브 하우스일까 궁금했다. 한 분이 카톡에

“ㅎㅎ 왜 올리브 일까 생각해 봤어요~~ 처음엔 집이 올리브색인가? 그것 아니고 혹시. 뽀빠이 여자 친구 올리브……”

바로 답이 왔다.

“딩동 댕동! 여고 때 만화 뽀빠이 때문에 친구들이 붙여준 거예요. 닮았대요. 좋아하는 색도 올리브그린이에요.”

올리브 하우스는 올리브색은 아니었다. 올봄(2022년)에 설계를 시작해서 7월에 완성되었다고 했다. 요즘 시골집은 조립식 주택이 많다. 특히 세컨드 하우스는 조립식으로 대부분 건축한다. 올리브 하우스도 조립식 주택이다. 아직 마당에 잔디도 심어야 하고 꽃밭도 가꾸어야

하는 숙제가 있지만 모두 너무 부러워했다. 앞이 탁 트인 곳에 지어져 데크에 앉아 있으니 바람이 솔솔 불어 너무 시원해 마치 휴양지에 놀러 온 기분이었다. 조금 걸어 나가면 바다도 볼 수 있어 세컨 하우스로는 안성맞춤이었다.

오후에 강화도에 있는 스페인 마을에 가서 기념사진도 찍고 갤러리에서 그림도 감상하며 즐거웠다. 바다가 보이는 곳에 있는 스페인 마을은 미니 스페인이었다. 공간이 그리 넓지 않아도 아기자기하게 꾸며져 있어 날씨 좋은 날 가면 사진도 예쁘게 찍을 수 있겠다 싶었다. 중간중간 포토존도 있어서 방문객들을 배려했다는 생각도 들었다.

올리브 하면 가장 떠오르는 것이 스페인, 포르투갈 여행이다. 올리브나무가 몇 시간을 달려도 바다처럼 끝없이 펼쳐진다. 올리브는 생존력이 좋아 건조한 땅에서도, 산 능선까지 펼쳐진 꼭대기 척박한 땅에서도 잘 자란다고 했다. 그때부터 짭조름한 올리브에 눈이 가서 잘 먹게 되었다.

2008년 1월에 이전 학교에서 함께 근무했던 6명이 10박 12일로 스페인, 포르투갈, 모로코, 바르셀로나를 다녀왔다. 1월이지만 우리나라 2월 말 정도의 날씨라 겨울 패딩은 가져가지 않고 좀 가벼운 복장으로 다녔다. 여행을 다녀오면 꼭 포토북을 만들어 보관하기 때문에 몇 년 만에 포토북을 찾아 그때의 추억을 되살려 보았다. 스페인은 기독교와 가톨릭, 이슬람 문화가 사이좋게 공존해서 아름다운 사원이 많았다. 그 스케일도 커서 방문하는 곳마다 감탄사가 저절로 나왔다. 세비아 대성당 정원에 심어 놓은 오렌지 관상수도 인상 깊었고, 길거리에서도 오렌지가 주렁주렁 달린 나무를 많이 볼 수 있었다. 오렌지 관상수에 달린 오렌지는 식용 오렌지와 달라서 시고 쓴 맛이 나서 먹지 않는다고 했다.

포르투갈 땅끝마을 까보다 로카에서 사진을 찍을 땐 대서양을 보며 최서단에 서 있다는 생각에 뿌듯했다. 방문 증서도 받았다. 리스본 떼주 강변을 들러 벨렘 탑과 발견자의 탑 앞에서 사진을 찍었다. 포르투갈은 점만 찍고 온 셈이다.

모로코로 가기 위해 탕헤르발 페리호에 올랐다. 페리를 타고 사회책에서만 배웠던 지브롤터 해협을 지나 모로코 항구 탕헤르에 도착했다.

모로코는 아프리카 서북단에 있는 나라로 이슬람교가 깊숙이 자리하고 있었다. 카사블랑카는 하얀 집이 많았다. 모하메드 5세 광장과 핫산 2세 모스크에 먼저 갔는데 규모가 아주 컸다.

모로코에서는 페스 미로 도시가 가장 인상 깊었다. 여행 가이드가 있어도 미로 도시를 방문하려면 현지 가이드를 대동해야 하기에 키가 아주 작은 동화에 나올듯한 현지 가이드가 안내해 주었다.

미로 도시는 정말 이름대로 꼬불꼬불 골목이 엄청 많았다. 모르고 들어갔다가는 빠져나올 수 없을 것 같았다. 골목에는 작은 상점들이 붙어있어 수공예품을 파는 가게가 많았다. 골목에서 만난 아이들이 한국어를 어찌 아는지 '안뇽하세요~볼펜~'이라고 해서 가방에 있던 볼펜을 꺼내주었다. 한국 사람들이 여행을 많이 오긴 하나 보다. TV에서나 보았던 가죽 염색공장 테너리를 직접 방문하다니 꿈만 같았다. 염색할 때 염색 원료에 비둘기 배설물 등을 함께 넣어서 냄새가 고약하다고 해서 염려했는데 조금 거리가 있어서 그런지 참을만했다. 건네준 민트 잎이 효과가 있었는지는 잘 모르겠다. 스카프와 냉장고에 붙일 수 있는 수공에 전통 신발 미니어처를 몇 개 샀다. 헤나 염색약이 유명하다고 해서 사는 분도 있었다. 미로 도시를 빠져나온 우리는 안도의 숨을 쉬었다. 마치 타임머신을 타고 중세시대를 다녀온 기분이다. 점심은 모로코의 특선 쿠스쿠스를 먹었다. 모로코 수도 리바트에서 2박을 하고 스페인으로 돌아왔다.

스페인에서 가장 가보고 싶었던 그라나다 알람브라 궁전에 갔다. 예전에 많이 듣던 '알람브라 궁전의 추억'이란 기타 연주곡에 대한 추억 때문이었던 것 같다. 잘 가꾸어 놓은 정원 덕에 입구부터 너무 아름다웠다. 이슬람 문화가 잘 스며들어 섬세하고 호화스러웠고 관람하는 방마다 특징이 있었지만 나스르궁의 중앙 정원에 빠져 헤어 나오지 못하고 오래도록 바라보았다. 그날은 비가 와서 더 애절했던 것 같다. 궁전에서 바라본 파랑과 흰색 마을 알바이신 지구의 슬픈 이야기를 뒤로 하고 궁전을 떠났다. 2018년 연말 현빈과 박신혜 주연 '알람브라 궁전의 추억' 드라마가 알람브라 궁전에서 촬영하여 더 흥미 있게 관심을 가지고 시청했다.

그라나다에서 저녁에 스페인 여행 가면 꼭 관람해야 하는 플라멩코를 관람했다. '올라!'를 함께 외치며 잠시 모든 시름을 잊고 한마음이 되었다. 특히 남성 댄서가 땀방울을 뚝뚝 흘리며 어찌나 열심히 춤을 추던지~ 감동 또 감동이었다. 그 여운이 오래도록 남았다.

다음 일정으로 코르도바, 말라가, 세비아를 방문하고 버스를 타고 오랜 시간 걸려 바르셀로나로 갔다. 여행 중에 버스로 장시간 이동하는 것이 가장 힘들다. 다음에 스페인 여행을 다시 간다면 마드리드에서 바르셀로나에 갈 때는 꼭 비행기로 가야겠다. 바르셀로나에 가면 가우디 건축 양식인 사그리다 파밀리아 성당과 구엘 공원을 꼭 방문한다. 그 외에 몬주익 언덕에 있는 올림픽 주 경기장에도 다녀왔다. 몬주익 언덕에 있는 황영조 선수의 기념탑 앞에서 기념사진도 찍었다. 아마 이곳은 우리나라 사람들만 관심을 가지고 방문할 것 같았다. 사그리다 파밀리아 성당은 그때도 공사 중이었는데 아직 완공되지 않은 걸로 알고 있다. 완공은 아니어도 멋진 성당이었다.

다시 마드리드로 돌아와서 스페인의 옛 수도였던 톨레도를 방문하였다. 톨레도 대성당은 기독교와 이슬람교, 유대교가 공존하는 웅장하고 멋진 성당이었다. 도시 전체가 유네스코 세계문화유산으로 등재되어 있어서 마치 중세시대로 돌아간 듯했다. 스페인 여행을 계획한다면 톨레도는 꼭 방문하라고 말하고 싶다. 마지막 날 마드리드 프라도 미술관에서 수준 높은 예술품을 감사하고 서울로 돌아왔다.

여행한 것이 오래되어 기억도 가물가물하지만, 여행 다녀온 후 스페인, 포르투갈, 모로코 관련 여행 프로그램이 나오면 여러 번 다시 보기를 하며 여행의 기억을 되살리곤 하였다. 강화도 스페인 마을에서 식사하며 다시금 스페인을 그려보았다.

스페인과 포르투갈, 모로코 여행은 감동이 커서 다시 한번 다녀오고 싶다.

전통시장은 사람 사는 향기가 난다

가끔 전통시장에 간다. 안 가면 가고 싶고 궁금하다. 한 달 반마다 혈압약을 타러 병원에 가는데 병원 건물 뒤에 전통시장이 있다. 약을 탄 뒤에 꼭 전통시장에 들른다. 이번 주는 신정 전이라 전 가게에는 전이 가득했다.

전통시장에 가면 볼거리가 정말 많다. 가게마다 파는 물건도 달라서 구경하는 재미가 있다. 과일도 작은 바구니에 담아서 팔고, 채소도 바구니에 담아서 판다. 한 바구니를 검정 봉지에 넣어서 준다. 말만 잘하면 한 바구니에 몇 개를 덤으로 얹어 주기도 한다. 생선 가게에도 없는 생선이 없다.

친정엄마가 강릉에 혼자 사셔서 가끔 내려가면 강릉 중앙시장에 데려가셨다. 시장에 가서 난전(길거리)에 앉아서 채소를 파시는 어르신이 많았다. 시골에서 농사지으신 것을 가지고 와서 한 무더기씩 쌓아 놓고 파셨다.

친정엄마는 단골이 있어서 아무 곳에서 물건을 사지 않았다. 꼭 단골 어르신이 파는 곳에 가서 호박도 사고 가지도 사고 상추도 사셨다.

걸음도 어찌나 빠르신지 내가 따라가기가 힘들 정도였다.

채소를 다 사면 지하에 있는 해산물 가게로 데려가셨다. 우리가 내려가면 꼭 비싼 문어를 사 주셨다. 살아있는 문어를 그 자리에서 솥에 넣어 삶아 주는 가게가 있었다. 문어는 킬로당 가격을 매긴다. 보통 2킬로나 3킬로 되는 문어를 사면 여러 명이 실컷 먹을 수 있다.

바로 삶아서 가져오면 문어가 달면서 정말 맛있다. 그 문어를 먹으면 다른 곳에서 파는 문어는 못 먹는다. 지금은 친정엄마가 안 계시지만, 지금도 강릉에 가면 꼭 그곳에서 문어를 사 온다. 택배로도 보내주셔서 특별한 날 주문해서 먹기도 한다.

전통시장에는 없는 것이 없다. 대형마트에도 물론 없는 것이 없지만, 전통시장에 가면 먹고 싶은 것이 정말 많다. 떡 가게도 쳐다보고 옛날 과자 가게도 기웃거려 본다. 어묵 파는 가게에 서서 꼬치 어묵도 먹어 본다. 어묵 국물을 그릇에 담아 호호 불며 먹는다. 추위가 다 달아난다. 정말 맛있다.

오늘도 전통시장에 가서 한 바퀴 구경하고 필요한 것을 사 왔다. 전 가게에서 아주 커다란 녹두 빈대떡을 7,000원 주고 사 왔다. 즉석 두부는 2,500원, 도토리묵은 3,000원이다. 나도 친정엄마처럼 단골 가게를 정해놓고 반찬도 몇 가지 사 왔다. 오늘 저녁상은 진수성찬이다.

전통시장에 가면 젊은 사람들도 있지만, 어르신들이 많다. 검정 봉지에 담아주는 물건을 바퀴 달린 장바구니에 담아 끌고 가신다. 허리도 조금 굽으셨지만, 가족에게 맛있는 음식을 해드리려는 정성이 담겨 있다. 전통시장은 사랑이다.

전통시장에서는 전통시장 온누리 상품권을 사용하면 좋다. 공무원은 맞춤형 복지에 의무적으로 전통 사장 온누리 상품권을 구매하게 되어 있다. 전통시장 활성화를 위한 정책이다. 퇴직 전에 매년 온누리 상품권을 행정실에서 구매해 주었다. 물론 맞춤형 복지 포인트로 사 주는 거다. 온누리 상품권을 친정엄마에게 드리면 시장에 가셔서 고기를 사서 드셨다. 많이 좋아하셨다.

온누리 상품권을 사용하면 연말 정산에도 도움이 되어 원래는 현금 영수증도 해 줘야 하지만 거의 안 해준다. 카드보다는 현금을 선호하고, 현금이 없으면 계좌 이체하라고 가게마다 계좌번호를 적어 놓았다. 물론 싸게 팔면서 카드 수수료까지 내고 싶지 않은 마음은 이해한다.

전통시장에서도 카드를 편하게 사용할 수 있으면 좋겠다. 연말 정산에도 전통시장에서 사용한 카드 금액은 따로 공제받는다. 그것도 다른 곳에서 사용하는 것보다 훨씬 많이 받는다. 상인들이 카드를 편하게 사용할 수 있게 해주면 손님이 더 많이 오지 않을까 생각해 보았다. 지금은 전통 사장에 갈 때는 꼭 현금을 찾아가야 해서 그 점은 조금 불편하다.

전통시장은 늘 활기가 넘친다. 파는 사람도 사는 사람도 기분 좋은 곳이다. 신정 전이라 주말에 전통시장을 한 번 다녀오시면 좋을 것 같다. 다음에 갈 때는 설날 즈음에 방문할 예정이다. 그때는 더 푸짐하게 물건을 쌓아놓고 손님을 기다리겠지. 벌써 기다려진다.

나도 7,000명 중 한 명

주말이다. 주말에는 늦잠도 자고 싶고 아무 일도 안 하고 쉬고 싶기도 하다. 하지만 이번 주말에는 중요한 교회 행사가 있어서 출근하는 것과 같은 시간에 일어났다. 아침도 아주 간단하게 먹고, 행사에 갈 준비를 하였다. 복장은 검정 바지에 흰색 긴팔 블라우스다.

우리 교회는 대한예수교장로회 백석총회 소속이다. 지난 9월 9일(토요일) 송파구 올림픽공원 체조경기장에서 백석총회 45주년 기념대회가 열렸다. 이날 전국에서 3만여 명의 기독교인이 참가했고, 연합성가대 7,000여 명이 '할렐루야'를 합창하였다. 나도 성가대 소프라노 파트로 참가하였다. 이렇게 큰 행사에 참석하는 것은 처음이다. 7,000명이 부르는 '할렐루야'는 어떤 느낌일까 기대되었다.

백석총회는 설립 45년 만에 9,725 교회, 200만 성도로 한국교회를 대표하는 교단으로 성장하였다. 백석대학교와 대학원, 백석예술대학교와 백석신학교 등 교육기관을 운영하고 있다. 나도 우리 교회가 백석총회 소속이라는 것을 이번 행사로 알게 되었다.

우리 교회에서는 600여 명이 성가대로 참가하였다. 매주 목요 철야 전에 합창 연습을 하였다. 당일 8시 40분에 모여 버스 12대로 나누어 타고 출발하였다. 토요일 오전인데도 올림픽 도로는 많이 밀려 2시간 걸려 행사장에 도착하였다. 버스별로 한 분이 교회 깃발을 들고 앞장 서고 성도님들이 따라갔다. 남자분들은 간식과 생수를 들고 따라갔다.

많은 분이 올 거라서 임시 화장실도 많이 설치되어 있었다. 입장하기 전에 QR코드가 있는 손목 띠를 채워주었다. 경품 추천에 필요하다고 한다. 경품으로는 모닝 자동차와 자전거와 태블릿 등 경품이 준비되었다. 경품 추천은 늘 기대된다.

버스에서 김밥으로 아침을 먹었고, 식전 행사 전에 햄버거로 점심을 먹었다. 11시에 연합 성가대가 모여 찬양 연습을 하였다. 찬양곡은 '할렐루야'이다. 할렐루야는 성가대라면 크리스마스 칸타타로 늘 불렀던 곡이라 익숙하지만, 화음을 맞추는 것은 쉽지 않다. 특히 소프라노는 고음이 많다. 한 번 두 번 연습할 때마다 소리가 달라졌다. 다섯 번 정도 연습하니 지휘자님도 조금 안심이 되는 듯했다.

12시 30분에 식전행사가 시작되었다. 식전 행사는 백석예술대학교에서 맡았다. 뮤지컬, 댄스 등 공연과 퍼포먼스가 있었다. 북춤도 참 멋있었다. 백석예술대학교 교수인 박기영 가수가 찬양곡 세 곡을 불렀는데 정말 감동이었다. 오랜만에 다양한 공연을 보는 것으로도 즐거웠다.

2시에 감사 예배가 시작되었다. 예배 순서에 맞추어 찬양과 기도, 성경 봉독이 끝나고 7,000명의 연합 성가대의 '할렐루야' 찬양이 시작되었다. 정말 감동이었다. 부르는 성가대도 감동이었지만, 보는 사람들은 더 감동이었으리라 생각한다.

3부 축하의 시간에는 45주년을 축하하며 해외 순방길에 오른 윤석열 대통령의 영상 축하가 있었다. 윤 대통령은 "한국교회의 일치와 연합에 앞장서 온 백석총회는 이웃을 섬기며 사랑을 실천해 왔다."라고 소개하면서 "최근 잼버리 대회에 참가한 1,200여 명 해외 참가자에게 백석대가 시설을 개방해 주신 것으로 안다. 세심하게 챙겨준 총회에 깊은 감사를 드린다."라고 말했다. 이어서 김장환 극동방송 이사장의 축사 등 몇 분의 축하 인사가 있었다.

비전 선포와 기도회, 은혜의 시간으로 막을 내렸다. 은혜의 시간에는 경품 추천이 있었는데 모닝 자동차 7대, 자전거 300대, 태블릿 PC 70대 등 푸짐한 경품을 추첨하였다. 자동차만 그 자리에서 직접 추첨하여 단상에서 전달하였고, 나머지는 QR코드를 활용하여 시간을 절약하였다. 이것도 좋은 방법이라고 생각된다.

많은 성도님이 참석하였으나 큰 혼동은 없었고 나라를 위해 합동으로 기도하는 시간도 은혜가 되었다. 나는 학교가 바로 서고 편안하길, 더 이상 어려움으로 세상을 버리는 선생님이 없기를 기도하며 눈시울이 뜨거워졌다. 그리고 국민이 마음 놓고 다닐 수 있는 안전한 나라 되길 기도하였다. 3만 명 한 사람 한 사람의 기도가 하늘에 닿길 바란다.

5시에 끝나고 버스가 주차장에서 빠져나오는 것도 오래 걸렸다. 교회에 도착하니 저녁 8시 30분이 되었다. 피곤했으나 오늘 하루는 보람 있는 하루로 기억하고 싶다. 백석총회 45주년 기념 대회로 백석총회가 세상의 빛과 소금이 되기를 기대해 본다.

언제 또 이런 은혜의 자리에 설 수 있을지 모르겠다.
내가 연합 성가대 칠천 명 중 한 사람이 된 것이 영광스럽다.

60대 친구들과 초겨울 여행

올가을은 정말 짧았다. 여름이 길고 무더워서 사람들이 가을을 기다렸다. 가을이 와서 정말 반가웠다. 하지만 올가을에는 유난히 비도 많이 내렸다. 우여곡절 끝에 여름이 다 가는 시기에 사놓은 장화가 아깝지 않았다. 그만큼 많이 신었다. 9월인데도 가을인지 여름인지 왔다 갔다 했다.

뭐가 그리 바빴는지 올가을에는 단풍 구경도 가지 못했다. 그저 운전하며 본 길가의 가로수와 아파트 산책로에 있는 벚나무와 단풍나무의 단풍을 본 게 다다. 참, 10월 말에 손자 옷 갖다주려고 다녀온 수원의 큰아들네 가면서 본 은행나무도 예뻤다.

퇴직하기 전 학교 옆 아파트에 있는 은행나무 길이 가을이면 정말 예뻤다. 몇 번을 카메라에 담았다. 떨어져 쌓인 은행잎을 밟으며 산책하면 영화의 주인공처럼 행복했다. 가을이면 학교 옆 은행나무 길이 그립다.

벌써 11월 말이다. 가을 단풍 구경을 못 가서 서운하던 터에 대학 동기 친구들이 가까운 둘레길로 나들이 가자고 했다. 지금은 모두 퇴직했는데 모두 바쁘다. 늘 하는 이야기가 '백수가 과로사한다.'이다. 많은 인원은 아니지만, 14명이 참석한다고 신청했다.

장소는 과천 서울대공원 산책로다. 나이가 나이인지라 무릎이 아파서 등산은 못 한다는 친구가 있어서 가볍게 산책할 수 있는 장소를 선택했다. 오전 10시 50분에 대공원역 2번 출구에서 모이기로 했다. 버스를 전세 내지 않아서 회비도 2만 원만 받았다.

내가 모임 부회장 겸 회계라서 꼭 참석해야 했다. 지하철을 몇 번 갈아타고 1시간 30분 정도 걸려서 대공원역에 도착했다. 모이는 장소가 2번 출구라 나가보니 벌써 친구들이 와 있었다. 우리 말고도 연령대가 비슷한 분들이 여기저기 무리 지어서 모여 있었다. 이곳이 만남의 장소로 보였다.

많이 모이면 좋은데 60대 중반이다 보니 아파서 참석 못 하고, 손주 보느라고 못 오고 사정들이 있었다. 퇴직 후에 다시 일하는 동기도 있었다. 오늘 모인 친구들은 그래도 건강하고 시간도 있는 친구들이다. 입구에서 준비한 물과 귤을 나눠주고 걷기 시작했다.

서울대공원은 모두 오랜만에 방문한다고 했다. 나도 교사였을 때 아이들 소풍 때 데려오고, 우리 아이들 초등학교 때 오고 처음 왔다. 20년은 되었다. 날씨도 너무 좋아 바람 한 점 구름 한 점 없는 최상의 날이었다.

동물원 산책로와 산림 욕장 길 등 두 가지 산책로가 있었다. 동물원 산책로는 평지나 다름없는 길이고, 산림 욕장 길은 등산이 필요한 길이다. 다리 아픈 친구가 있어서 우리는 동물원 산책로로 가기로 하였다. 나는 예전에도 한 번 와 보았지만, 처음 온 친구들이 많아서 기대된다고 하였다.

오랜만에 나와서인지 보이는 풍경이 너무 좋았다. 초겨울이지만 아직 가을이 많이 남아 있어서 다행이었다. 단풍도 있고 낙엽도 있었다. 가을과 겨울이 공존한다. 사진을 안 찍을 수 없다. 친구들과 기념사진도 찍었다. 나이 들어가면서 사진 찍는 것이 싫다. 사진 속의 얼굴에서 나이가 느껴지기 때문이다. 하지만 오늘이 앞으로의 내 인생에서 가장 젊은 날임에는 분명하다.

산책로에는 단풍나무가 많았는데 단풍이 들지 않고 그냥 말라버린 나무가 많아서 아쉬웠다. 가을이 너무 더워서 단풍 들 새가 없었던 것 같다. 말라버린 나무에 단풍이 다 들었다면 정말 아름다운 가을 산이 되었을 거다. 가을을 두 번째 봄이라고 한다. 단풍이 꽃처럼 예쁘기 때문이다.

동물원 산책로는 걷기에 무난했다. 평소에 운동 안 하는 나도 힘든 줄 몰랐다. 만 보 이상 걸었지만, 힘들다고 하는 친구도 없었다. 그래도 정상에서 잠시 쉬며 물도 마시고 간식도 먹었다. 행사 주최 측에 간식 준비를 안 해 왔는데 각자 조금씩 챙겨 왔다. 약과와 견과류, 귤 등 모으니 푸짐했다. '티끌 모아 태산'이란 말을 이때 사용해도 될지 모르지만, 모두 인정이 넘쳤다.

내려오는 길도 좋았다. 이구동성으로 봄에 오면 더 좋겠다고 하며 내년 3월 말쯤 한 번 더 오자고 했다. 다 내려왔는데 신기한 소나무 두 그루가 있었다. 대공원 소원성취 명품 소나무였다. 소나무가 각각 다른 방향을 보고 있었다.

왼쪽 소나무는 부(富)를 상징하고, 오른쪽 소나무는 명예(名譽)를 상징한다. 부와 명예를 같이 바라면 부조리가 발생하기 때문에 욕심을 버리고 건강한 정신과 삶을 통해 균형 있고 청렴한 생활을 추구하라는 교훈이 담긴 소나무라고 한다. 소나무를 보며 삶의 교훈을 한 번 더 새겨보았다.

두 시간 30분 정도 걸었더니 모두 시장하다고 했다. 예약해 둔 오리 진흙 구이집에 도착했다. 오리 진흙 구이는 모두 오랜만에 먹는다며 좋아했다. 많이 걸은 후에 먹어서인지 맛있었다. 오리를 콩잎장아찌에 싸서 먹으니 일품이었다. 속에 든 찹쌀밥도 맛있었다. 걸은 만큼 몸보신이 될 것 같다. 후식으로 먹은 동치미국수도 상큼하고 좋았다. 음식점은 과천에 사는 동기가 자주 왔던 곳이라 믿고 예약해 주었다. 만족도가 높았다.

점심을 먹고 옆에 있는 카페에서 차를 마셨다. 14명이다 보니 실내에는 자리가 없어서 야외 자리를 붙여서 앉았다. 주문하는 것도 시간이 걸렸다. 차 마시며 담소를 나누다 보니 우리가 앉은자리가 애완견 카페 방이었다. 강아지와 함께 온 손님이 우리 반대쪽에 앉아있었다. 애완견 카페는 처음이어서 기분이 참 묘했다. 요즘 반려동물 키우는 사람이 많으니 자연스럽게 받아들여야겠다.

60대 중반인 친구들이라 머리도 희끗희끗하고 얼굴에 주름도 있다. 하지만 20대 학창 시절로 돌아가서 옛날이야기로 시간 가는 줄 몰랐다. 노래 가사처럼 모두 아름답게 익어 가면 좋겠다. 1월 말에 한 번 더 산행하자고 약속하고 전철역을 향했다. 대부분 서울에 살기에 4호선 지하철을 탔다.

서울 근교에 지하철로 갈 수 있는 좋은 산책로가 있어서 참 좋았다. 그것도 다리 아픈 사람도 편하게 걸을 수 있는 길이라 더 좋았다. 입장료가 없는 것도 좋았다. 마음만 먹으면 언제든지 갈 수 있다. 과천 서울대공원 산책로를 계절이 바뀔 때마다 한 번씩 가면 좋겠다.

요즘 날씨가 제법 추웠는데 오늘은 바람 한 점 구름 한 점 없는 좋은 날씨였다. 덥지도 춥지도 않아서 걷기에 딱 좋았다. 하늘도 오랜만에 만나는 우리를 축하해 주는 것 같았다.

오늘도 특별하지 않지만, 나에겐 특별한 하루로 기억되리라.

서울교대인 추모 음악회

2023년 10월 21일(토)에 모교인 서울교육대학교 종합문학관에서 '서울교대인 추모 음악회'가 있었다. 매년 10월 셋째 토요일에 '서울교대인 어울마당'이 축제처럼 개최되어 선후배 간에 화합의 자리가 되었다. 코로나로 인해 3년 정도 개최하지 못했다. 올해는 교직 사회에 슬픈 일이 많았다. 서울교대 동문인 후배 교사들이 하늘의 별이 되었다. 이루 말할 수 없는 슬픔으로 전국의 교사들이 매주 토요일마다 교권 회복을 외치며 거리로 나섰다. 이에 어울마당 체육대회를 개최하기에는 다소 무리가 있어서 서울교대 총동창회에서 '서울교대인 추모 음악회'를 계획하고 운영하기로 했다. 선·후배와 동문 가족이 만나는 음악회를 통해 서로를 위로해 주고, 힘을 북돋워 주는 자리가 될 수 있기를 바라는 마음이었다.

10월 동문 회보에 내 추모 시가 실렸다. 추모 시를 쓰며 유명을 달리한 후배의 마음을 다독여주고 싶었다. 한 연 한 연 써 내려가며 함께 울었다. 다시는 이런 불행한 일이 일어나지 않기를 기도했다. 오늘 추모 음악회에서 추모 시 낭송을 부탁받았다. 틈틈이 낭송 연습을 하였다. 나는 시 낭송을 배우지 않았다. 서울경인초등학교 교장일 때 매달 학생들에게 방송으로 책 읽어주기를 하면서 낭독에 대해 관심을 갖게 되었다. 유튜브에서 시 낭송 영상을 보면서 감정을 잡아 연습하였다. 녹음하여 들어보며 1주일 동안 연습하였다. 내 목소리는 똑똑 끊어져 귀에는 쏙쏙 들어오는데 부드러움을 추가하면 좋을 것 같았다. 내가 쓴 시를 낭송하는 거라서 그런대로 감정이 잡혔다.

추모 음악회 당일 진행팀에서 리허설이 있다고 8시 30분까지 오라고 했다. 출근하는 것보다 더 일찍 일어나서 준비했다. 가족도 참석할 수 있는 자리라서 남편도 함께 가기로 해서 마음이 든든했다. 함께 가서 시 낭송할 때 동영상도 찍어 달라고 했다. 비 예보를 확인하지 않았는데, 가는 길에 비가 많이 내렸다. 하늘도 함께 슬퍼해 주는 것 같아 내리는 비가 야속하지 않았다. 아침 시간이라서 도로도 막히지 않았다. 조금 일찍 도착하여 주차하고 행사장으로 갔다. 벌써 리허설을 하고 있었다. 리허설 차례를 기다리며 마음을 차분하게 가라앉혔다. 리허설 차례는 좀처럼 오지 않아서 이렇게 일찍 오지 않았어도 되는 거였다는 생각을 하며 기다렸다. 리허설은 그냥 시 낭송할 위치만 정하는 걸로 짧게 끝났다.

드디어 10시가 되어 추모 음악회가 시작되었다. 오늘 음악회에는 교대 동문과 가족이 함께 하는 자리다. 조희연 서울시 교육감과 몇 분의 내빈도 참석하였다. 기자도 오고 녹화도 하였다. 500여 명이 참석한 큰 행사에서 시 낭송을 하게 되어 긴장되었다. 한편 생각하면 영광된 자리이다.

개회식 순서에 의해 국민의례와 묵념 다음에 추모 시 낭송을 하였다. 걱정했지만 다행히 떨지 않고 감정을 잡아서 잘했다. 마지막 연에서 울컥했지만 잘 마치고 내려왔다. 남편이 잘했다고 한다. 큰 무대에서 시 낭송한 것이 처음인데 실수하지 않아서 안심되었다.

남편에게 동영상을 찍어 달라고 했는데 잊어버리고 못 찍었다고 하였다. 다시 들어보고 싶었는데 서운했지만, 하는 수 없다. 끝나고 알아보니 본부에서 녹화했다고 나중에 영상을 보내준다고 한다. 다행이다.

개회식 후에 추모 음악회가 진행되었다. 추모 음악회는 1부와 2부로 진행되었다. 1부는 대부분 '추모와 애도의 곡'으로, 2부는 '치유와 회복을 위한 곡'으로 선정하였다. 음악회 출연자는 초등교사가 많았고, 중등교사와 교수님도 있었다. 즉 출연진 모두가 교직에 재직하고 있는 교원으로 구성되었다. 모두 수준 높은 프로그램이었다. 교원 중에 재주 있는 분이 많음이 자랑스러웠다. 특히 살풀이춤을 보며 하늘나라에 간 후배 교사들이 이생의 슬픔은 모두 잊고 새처럼 훨훨 날아 저 생에서 잘 지냈으면 좋겠다고 생각했다. 살풀이춤이 끝날 때까지 아름다움에 눈을 뗄 수 없었다.

남편과 오랜만에 음악회를 함께 관람하였다. 추모 음악회라 먼저 떠난 후배들을 위한 자리였지만, 참석한 우리도 위로받았다. 남편도 감동을 많이 받았다고 한다. 떠나신 선생님과 학창 시절 함께 보냈던 음악과 졸업생들의 공연을 보며 관람객들도 많이 울었다. 연주하는 선생님들도 마음으로 울었으리라 생각한다. 퇴직 선배님들이 창단한 합창단 '사향가인 합창단' 합창곡을 들으며 나도 그들 중의 한 사람이 된 것처럼 노래를 따라 불렀다. 국악과 악기연주, 독창, 합창, 아카펠라 등등 다양하게 진행되었다.

2시간이 금방 지나갔다. 1부는 애절함이 묻어났고, 2부는 치유와 힐링이 되었다. 서울교대인이 정말 자랑스러웠다. 오랜만에 후배도 만나고 선배도 만났다. 다행히 추모 시 낭송이 참 감동적이었다고 여러분이 말씀해 주셔서 걱정을 덜었다. 밖으로 나오니 언제 비가 내렸냐는 듯 하늘이 높고 푸르렀다. 음악회를 통해 세상을 떠난 후배들이 위로받고 편안히 잠들길 기도한다.

오늘은 오래오래 기억되는 날이 될 거다. 특히 추모 음악회에서 추모 시를 낭송한 일은 잊지 못할 것 같다. 추모 음악회를 통해 다시 한번 서울교대 동문이 마음이 하나 되길 기대해본다. 음악회를 준비하기 위해 수고해주신 모든 분께도 감사드린다.

임영웅 콘서트 대신 뮤지컬 '벤허'를 예약했다

임영웅 콘서트에 가고 싶었다. 팬클럽에 가입하진 않았으나 늘 응원한다. 마음이 우울하거나 복잡할 때마다 임영웅 노래를 듣는다. 서울 콘서트 소식을 듣고 발 빠르게 예약하려고 했지만, 역시 나보다 빠른 사람이 많았다. 이번에도 성공하지 못했다. 다음에는 정말 발 빠르게 움직여서 꼭 성공하길 기대해 본다.

나는 뮤지컬도 좋아한다. 예전에는 1년에 몇 번씩 찾아서 관람했는데 코로나로 인해 뮤지컬 본 지가 꽤 오래되었다. 남편 회사가 마곡이다. 마곡에 LG 아트센터가 들어섰다. LG 아트홀이 강남에 있을 때 '지킬 앤 하이드'를 본 것이 마지막이다. 벌써 5년은 된 것 같다.

남편이 마곡 나루역에서 내려 회사까지 걸어가는 길목에 LG 아트센터가 있다. 지하철에서도 바로 연결되어 있다. 아트센터를 지나갈 때마다 늘 무슨 공연을 하는지 관심이 있었다고 한다. 내가 뮤지컬을 좋아해서 함께 보면 좋을 것 같은 공연을 찾았는데, 마침 이번에 하는 공연이 '벤허'라서 추석 연휴에 함께 보자고 했다. 임영웅 콘서트에 못 가는 대신 뮤지컬 벤허가 허전한 마음을 달래줄 것 같다.

9월 중순에 예약했는데 생각보다 남은 좌석이 많지 않았다. 인기가 많은 뮤지컬이라는 생각이 들었다. 연휴 마지막 날인 10월 3일 저녁 7시 공연을 예약하였다. 연휴 기간에 두 장을 예약하면 10% 할인 이벤트도 있어서 R석을 예약하였다. 예약은 아들이 도와주었다. 다음부터는 내가 직접 예약할 수 있다. 오랜만에 보는 공연이라 많이 기다려졌다. 남편도 영화로 여러 번 보았던 작품이라 기대된다고 했다.

티켓은 당일 30분 전에 도착해서 현장에서 받아야 해서 여유 있게 출발하였다. 아트센터 근처에서 저녁을 먹고 아트센터에 도착하였다. 키오스크에서 예매번호를 입력하고 한 번에 종이 표 출력에 성공했다. 그런 내가 자랑스럽다. 사실 별일도 아닌데 나이 드니 기계가 늘 부담스럽게 느껴진다. 미래에 잘 살려면 키오스크에 익숙해져야 한다. 그래야 식당에 가서도 굶지 않고 먹고 싶은 것을 주문할 수 있다.

좌석은 생각보다 좋았다. 1층 5열이다. 무대에서 조금 떨어진 딱 좋은 위치다. 정 가운데는 아니지만 배우 표정까지 볼 수 있는 자리였다. 영화에서 보았던 로마 군함 노예선이나 전차 경기가 뮤지컬로 어떻게 재현될까 궁금했다.

막이 올라가는 순간부터 감동이었다. 빵빵한 음향 효과가 한몫했다. 오늘 벤허 역은 신성록, 메셀라 역은 박민성 배우다. 매일 캐스팅이 달라지지만, 오늘 캐스팅이 마음에 든다. 벤허 줄거리는 이미 다 알고 있어도 한 장면 한 장면이 새롭게 다가왔다. 신성록 배우는 노래도 연기도 어느 것 하나 부족함이 없었다. 메셀라 역의 박민성 배우도 당당한 모습으로 역할을 잘 해냈다.

배우들의 상체 노출 장면이 많아서 몸 만드느라고 고생했을 것 같다. 로마 왕 앞에서 춤추는 무희들이 여성이 아니고 남성인 것도 특이했다. 남성들의 밸리댄스도 참 섹시했다. 이번 뮤지컬 출연진 38명 중 여성 출연자는 딱 세 명뿐이었다. 아마 뮤지컬 팬들이 여성이 많아서 그랬을까. 이 작품의 또 다른 특징이라는 생각이 들었다. 당일에도 관람객 중 젊은 여성분들이 많았다.

줄거리야 다 아는 내용이었으나 궁금했던 로마 군함 노예선 장면도 다양한 효과가 더해져서 정말 멋있었다. 군함이 해적에게 패해서 불타며 바닷속으로 가라앉고, 바다에 빠진 로마의 해군 사령관 퀸터스를 유다 벤허가 구하는 장면이 아슬아슬하면서도 재미를 더해주었다. 사령관을 구해준 벤허가 퀸터스의 양자가 되지만, 퀸터스가 사망하면서 예루살렘으로 돌아간다. 벤허는 진정 유대인이었다.

드디어 뮤지컬의 하이라이트인 벤허와 메셀라의 전차 경기가 시작된다. 뮤지컬에서 전차 경기가 어떻게 재현될까 가장 궁금했다. 영화에서는 정말 박진감 넘치는 경기 장면이었는데 뮤지컬은 무대라는 한계점이 있어서 다소 실망스러웠다. 하지만 작은 공간에서 말 여덟 마리를 모형이지만, 등장시키는 노력은 가상하다고 할 수 있다.

어머니와 누이동생이 감옥에 갇혔다가 문둥병에 걸리고, 예수님 등장으로 구원받아 치유받는 기적도 나온다. 예수님은 너무 처참하게 나오고 얼굴이 직접 노출되지는 않는다. 십자가를 메고 채찍을 당하며 골고다 언덕으로 걸어가는 초라한 모습에 기독교인으로 마음이 아팠다. 이번 뮤지컬에서는 예수님은 큰 비중을 두지 않은 듯하다. 벤허는 예수님을 만나면서 용서라는 의미를 알게 된다.

이번 뮤지컬은 시작부터 막을 내릴 때까지 감동의 도가니였다. 150분이 어떻게 지나갔는지 모르겠다. 중간에 20분을 쉬긴 했지만, 무대에서 잠시도 눈을 뗄 수가 없었다. 벤허를 맡은 신성록 배우의 가창력과 에스더를 맡은 최지혜 배우의 가창력은 대단했다. 주연은 모두 세명씩 캐스팅되었는데, 벤허 역할의 다른 캐스팅인 박은태, 규현 배우도 멋졌을 것 같다.

마지막 커튼콜로 대단위 막을 내렸다. 커튼콜도 멋졌다. 커튼콜에는 모든 관람객이 일어서서 기립 박수를 보내주었다. 막이 내렸는데도 자리를 떠나고 싶지 않을 만큼 인상 깊은 뮤지컬이었다. 무대 장치도 효과도 최고였다.

정말 오랜만에 멋진 공연을 보았다. 임영웅 콘서트도 좋았겠지만, 뮤지컬 벤허로 멋진 추석 선물을 받았다.

오늘 받은 감동으로 한동안 일상이 행복할 것 같다.

평일 점심 서울 근교 나들이

모임이 몇 개 있다. 주로 퇴직 전에 만나던 모임의 연장이다. 오늘도 네 명이 만났다. 2009년 2학년 동 학년 선생님들이다. 서울에서 가장 어려운 학교 중의 하나에서 함께 근무했다. 주변 아파트가 대부분 임대 아파트였고, 학급의 반 이상이 저소득층 학생으로 학교의 80% 이상이 지원 대상인 교육복지 우선 지구 학교였다.

우리 네 명은 2학년 담임이었고, 모두 40대 후반에서 50대 초반으로 나이도 비슷해서 마음이 잘 맞았다. 나는 학년 부장이었고, 교대 동기 한 명과 2년 선배 그리고 2년 후배인 교사였다. 막내 교사가 40대라 늘 학습자료를 만들어 주었고 모두 협조적이라 학년 운영도 잘되어 1년이 참 행복했다. 학생도 착했고 학부모님도 정이 많아서 늘 도와주셨다. 교직 생활 중 그해가 가장 좋았다.

우리는 같은 학년을 하면서 수업이 끝나면 교실 정리 후에 매일 모여서 함께 수업 자료도 만들고, 학년 업무가 끝나면 세상 사는 이야기도 나누었다. 그러다 보니 친해졌고 마음도 맞아서 다음 해에 나를 제외한 세 분이 다른 학교로 전근 가게 되어 모임을 만들었다. 벌써 14년이 되었다. 요즘 학교에서는 선생님들이 늘 컴퓨터 앞에서 바쁘게 일하며 여유가 없어 동 학년도 잘 모이지 않는다. 1년 기간제 교사를 해 보니 옛날 학교가 참 정이 많았다는 생각이 들었다. 선배 교사로서 참 안타까웠다.

세 분은 모두 내가 정년퇴직하기 전에 먼저 명예퇴직을 하였다. 만남은 분기별로 일 년에 네 번 정도 만난다. 음식점에서 만나기도 하지만, 가끔 영화를 보거나 대학로에 가서 연극을 관람하기도 한다. 가을에는 남산에서 만나서 남산타워를 구경하고 남산 둘레길을 걷기도 한다. 내려오다가 남산 중턱에 있는 비빔밥집에서 비빔밥을 먹기도 한다. 참 편하고 좋은 만남이다.

작년에는 내가 기간제 교사로 학교에 나가면서 평일 점심에 만나기가 어려워 여름방학에 만나고 겨울방학 하는 1월로 만남을 미뤄두었다. 우리는 대부분 김포공항 근처에서 만나는데 가끔 사당동 쪽에 사는 한 분을 배려해서 사당동에서 만나기도 했다. 이번에도 김포공항 근처에서 만나려고 했는데 영원한 막내인 총무가 콧바람 쐬러 가자고 했다. 막내지만 예순 살이 넘었다. 차를 가져올 테니 개화역에서 만나자고 했다. 물론 모두 대환영이다.

11시에 개화역에서 네 명이 만나서 한 차로 이동했다. 오랜만에 서울을 벗어나니 다들 좋다고 했다. 차 안에서 벌써 수다로 이야기꽃을 피웠다. 30분 정도 되어 도착한 곳은 강강술래 늘봄 농원점이다. 주차장이 군데군데 많았다. 주차하고 내려오니 기와집으로 터가 정말 넓었다.

사전에 예약해서 안쪽 자리로 안내해 주었다. 고깃집인데 평일 12시도 안 되는 시간에 음식점이 만원이다. 주로 우리처럼 모임인 듯한 나이가 조금 있는 여성분이 많았지만, 가족 단위도 많았다. 이렇게 변두리 식당에 점심에 손님이 많아서 놀랐다.

점심 특선 갈비를 시켰다. 춥다고 불을 먼저 넣어주었는데 손을 쬐며 꼭 시골에 여행이라도 온 듯 즐거웠다. 아침을 안 먹어서인지 시장기가 느껴졌다. 숯불에 구운 갈비는 맛있었다. 함께 나온 반찬도 맛있었다. 식사로 밥과 비빔냉면을 시켰는데 후식 냉면이 아니라 양이 많아서 조금 남겼다. 식사하고 포장한 고기 등을 파는 매장에 갔다. 주부다 보니 어딜 가도 가족 생각뿐이다. 반찬과 양념한 고기를 사서 나오는데 뒤뜰에서 노랫소리가 들렸다.

멀리 정자에서 여자 가수가 라이브로 노래를 부르고 있었다. 구경하던 여자분이 'Changing Partner'를 신청했더니 불러주었다. 학창 시절에 많이 들었던 곡이라 서서 따라 부르며 감상했다. 뒤뜰은 공사 중이었지만, 놓여 있는 장작불 난로가 꼭 시골로 MT를 온 것처럼 분위기가 있었다. 한참 서서 노래를 듣다가 카페에 가기 위해 아쉬움을 뒤로하고 주차장으로 향했다.

식사 후에 카페로 이동했다. 요즘 카페 투어하는 사람들도 많아서 우리도 오늘 예쁜 카페에서 놀기로 했다. 카페는 음식점에서 20분 정도 더 시골로 들어간 곳에 있었다. 가는 길이 시골길 같았다. 카페가 있을 것 같지 않은 동네에 카페가 있어서 신기했다.

카페에 도착했다. 카페가 아주 큰 건물이었다. 멀리서 보면 꼭 원룸이 여러 개 있는 빌딩 같았다. 카페는 4층이었다. 앞에 호수가 있어서 전망이 좋아 보였다. 요즘 카페는 대형 카페가 인기가 있다고 한다.

우리 집 가까이 있는 카페는 '세계에서 가장 큰 호텔식 카페'로 기네스북에 등재될 정도로 대형 카페인데 늘 사람들로 붐빈다.

점심을 많이 먹어서 소화도 시킬 겸 호수 주변을 산책하였다. 영하의 추운 날씨였지만, 오히려 뺨에 닿는 바람이 상큼했다. 그곳은 '공릉 산책로 관광지'라고 안내판에 표시되어 있다. 코스를 보니 호수를 한 바퀴 돌아오는 곳이라 1시간이면 될 것 같아서 걷기로 했다. 꽁꽁 얼어붙은 호수를 보니 학교 다닐 때 경포 호수에서 스케이트를 타던 것이 생각났다.

옛날에는 겨울마다 경포 호수가 꽁꽁 얼었다. 동생들과 친구들과 겨울이면 경포호수에 가서 스케이트를 탔다. 스케이트를 타다가 포장마차에서 어묵 국물 호호 불며 붕어빵을 먹었었는데 그 시절이 그립다. 꽁꽁 언 호수에서 스케이트 타며 빙빙 돌던 그때가 벌써 오래전 추억이 되었다. 오늘도 내 마음은 호수에서 스케이트를 타고 있었다.

중간에 공사 중이라 길을 막아 놓아서 호수 한 바퀴는 돌지 못하고 오던 길을 돌아갔지만, 오랜만에 운동도 잘했다. 가까운 곳에 있었으면 호수 둘레 산책로를 자주 걷고 싶었다. 매일 걷고 싶은 길이었다.

카페에 갔다. 카페는 요즘 유명한 베이커리 카페로 4층이었다. 1층은 키즈 카페 같은 어린이를 위한 곳이고 2층부터 시작되었다. 자리를 잡으려고 2층부터 돌았는데 빈자리가 없다. 결국 제일 꼭대기 층인 4층에 앉을 자리가 있었다.

정말 대단하다. 평일에 이렇게 외진 곳에 있는 카페가 만원이라니, 말로만 듣던 카페 투어하는 분이 많다는 것을 실감했다. 둘러보니 우리처럼 끼리끼리 모임 사람도 있고, 가족도 있고, 연인도 있는 듯했다.

점심 식사했던 곳은 나이 든 분이 많았는데 카페에는 젊은 사람들도 많았다.

요즘 사람들은 카페를 찾아다닌다. 카페에서 글도 쓰고 독서도 한다. 가족끼리 작은 파티를 하고, 연인끼리 추억을 만든다. 우리처럼 어쩌다 만나 수다로 이야기꽃을 피우기도 하고, 부부가 와서 잠시 쉼을 얻기도 한다. 다양한 사람들이 모이는 카페가 요즘 필수 아이템이라는 생각이 든다. 우리나라 구석구석 카페가 생기는 이유다.

카페에서 두 시간 반 정도 있었다. 앞 테이블에는 부부인 듯 보이는데 남자분은 비스듬히 누워 자고 아내는 핸드폰을 보고 있었다. 모처럼 시간 내서 왔을 텐데 따로따로 각자 노는 모습에 자꾸 눈이 갔다. 따로따로면 어떠냐. 그래도 평일에 시간이 있어서 함께 왔으니 남편이 아내 말을 들어주는 배려가 있어 보였다. 우리 남편 같으면 "차 마시러 그 먼 데까지 뭐 하러 가."라고 했을 거다. 그래도 함께 와 준 남편이 고맙다는 생각이 들었다.

맛있어 보이는 빵과 차를 주문했다. 잠 때문에 오후에 커피를 못 마셔서 두 명은 디카페인 카페라테를 주문하고 나와 한 명은 카페의 대표 차인 장단콩 라테를 주문했다. 처음 먹어보는 것인데 약간 달콤한 맛이었는데 맛있었다.

망중한이라고 했던가. 그동안 바쁘게 살다 보니 이런 여유를 못 즐겼는데 오늘 막내 총무 덕에 좋은 추억 한 페이지를 남겼다. 우리는 정말 모처럼 오랜만에 나왔는데, 서울 변두리 음식점과 카페가 만원인 것을 보니, 경제가 살아난 것 같아 좋았다. 그리고 사람들이 좋은 곳을 검색해서 즐기는 모습이 부럽기도 했다.

올해는 가끔 여유를 즐기며 살고 싶다. 다음 약속은 따뜻한 4월로 잡고 헤어졌다. 그때도 멋진 카페에 가서 이야기꽃 피우리라. 모두 건강하게 지내다가 다음에 행복한 수다거리 많이 가지고 모이기를 바란다. 만날 때마다 좋은 추억이 쌓이면 마음은 청춘으로 살 수 있을 거다.

은퇴 후 좋은 만남이 있다는 것은 행운이다.
모두 건강해서 우리 만남이 오래 유지되길 바란다.

기네스북에 등재된 세계 최대 호텔식 카페

1월에는 보고 싶었던 분들을 많이 만났다. 그동안은 내가 학교에 출근하고 있어서 점심에 시간을 낼 수 없었다. 거의 모든 만남을 방학을 하는 1월로 미뤄 놓았었다. 대부분 서울에서 만났지만, 지난번처럼 서울 근교로 나가기도 했다.

오늘 모임은 서울에 사는 두 분이 우리 동네로 오셨다. 운동 삼아 지하철로 온다고 했다. 늘 내가 서울로 나갔었는데 나를 배려해서 이번에는 우리 동네로 오신다고 해서 고마웠다. 서울에서 인천 서구까지 오려면 지하철을 몇 번 갈아타야 한다. 나도 늘 서울 나갈 때는 그렇게 이동한다.

예약이 안 되는 음식점이라서 조금 일찍 가서 자리 잡았다. 정말 오랜만에 가는 음식점이다. 오늘 약속 시간은 12시였는데 11시 30분 경에 도착하여 창가 자리를 잡았다. 이른 시간임에도 불구하고 손님이 많았다. 12시 전인데 대기하는 손님도 있었다. 일찍 오길 잘했다.

두 분 중에 한 분이 먼저 도착하고 다른 분은 12시 조금 넘어서 도착했다. 지하철 갈아타면서 방향을 잘못 알아 전철을 놓쳐서 10분 정도 늦으셨다. 그 정도면 빨리 오셨다. 다행히 음식도 맛있어서 잘 먹었다.

식사 후에 내 차로 여수룬 식물원 카페에 갈 계획이었다. 아뿔싸! 미처 월요일이 휴관이라는 것을 생각지 못했다. 다행히 출발하기 전에 식물원이 휴관하는 날이 있지 않을까 하는 생각이 들어 찾아보니 역시 월요일이 휴관이었다.

어떻게 할까 고민하다가 여수룬 식물원 가기 전에 대형 카페가 있었던 것이 생각났다. 두 분 다 가보지 못했다고 해서 그리로 가기로 했다. 사실 나도 지나가다 보긴 했는데 들어가 보지 못해서 한번 가보고 싶던 차에 잘 되었다.

아는 길이지만 네비게이션을 켜고 출발했다. 아는 길이라서 운전하면서도 마음이 편했다. 15분 정도 걸려 도착했다. 건물이 예식장처럼 생겼는데 카페라고 하기엔 정말 컸다. 월요일인데 주차장에 차가 정말 많았다.

이곳은 기네스북에 등재된 세계 최다 호텔식 카페 <포지티브 스페이스 566>이다. 처음 가서 조금 어리둥절했지만, 모든 주문은 1층에서 하고 차나 음식을 가지고 원하는 자리에 가서 앉으면 된다고 했다. 베이커리 카페인데 피자와 파스타도 있었다. 그래서인지 아이들과 함께 온 부모가 많았다.

우리도 점심 식사는 했지만 맛있어 보이는 빵과 커피를 주문해서 엘리베이터를 타고 4층으로 올라갔다. 커피는 밤에 불면증이 걱정되어

디카페인으로 주문했다. 적당한 곳에 자리를 잡았다. 자리는 테이블도 있었지만, 온돌방 같은 곳도 있고 호텔 같은 곳 등 다양하였다. 가운데 공간이 뻥 뚫려서 다른 층을 내려다볼 수 있었다.

정말 앉아있는 모습이 다양했다. 심지어 담요를 덮고 누워서 자는 사람도 있었다. 우리 테이블 앞쪽은 온돌방 같았다. 나이 드신 분들이 다리 뻗고 앉아서 음식을 드셨다. 누워 자는 곳은 갈 때 내려가다가 보니 전기 코드를 끼우면 바닥이 따뜻해진다고 했다. 아침에 와서 여기서 브런치를 먹고 오후까지 있어도 편하게 놀다 갈 수 있을 것처럼 편해 보였다.

우리도 차 마시며 그동안 있었던 일상을 나누었다. 오늘 만난 두 분과 나는 모두 교회 권사라는 공통점이 있다. 더군다나 한 분은 강릉에서 6학년 때 다녔던 초등학교 선배이고 대학 선배이기도 하다. 주로 퇴직 후에 교회 봉사 이야기를 나누었다. 공통 화제가 있어서 편했다.

카페에서 2시간 정도 이야기를 하고 걸어서 내려오며 카페를 둘러보았다. 카페 특징이 자리가 다양하고 공간이 넓어서 다른 사람 의식하지 않고 있을 수 있겠다고 생각했다. 넓은 룸은 예약도 가능하였다. 퇴직 후에 걱정 없이 멋진 카페에서 일상을 나눌 수 있는 삶이 오늘 참 감사하다.

두 분은 다시 서울로 나가야 해서 가까운 김포 골드라인 역에 내려드렸다. 골드라인은 처음 탄다고 하는데 헤매지 말고 잘 나가시라고 했다. 요즘 모임이 많다 보니 카페 나들이가 많다. 다음에는 어떤 카페에 가게 될지 기대된다. 만나고 싶은 분들이 아직 남아서 2월에도 나의 카페 투어는 계속될 거다. 오늘도 나에게는 특별한 하루로 기록되었다.

행복 넷.

음식을 나누는 행복한 일상

봄을 부르는 상큼한 맛, 오이 피클

입춘이 지나고 날씨가 포근해졌다. 버들강아지 소식도 들려오고 매화 꽃소식도 전해온다. 상큼한 맛이 생각난다. 나는 새콤달콤한 맛이 생각날 때 오이 피클을 담근다.

동네 마트에 갔다. 꽤 큰 식자재 마트라 채소가 푸짐하게 쌓여있다. 달래 한 봉지를 카트에 넣었다. 파프리카는 낱개로 팔지 않아서 빨강과 노랑, 주황과 노랑 두 봉지를 담았다. 오이 있는 곳으로 가보았다. 오이가 6개 한 봉지에 5,900원이다. 여름보다 많이 비싸지만. 그냥 담았다. 오늘은 오이 크기가 작아서 5봉지(30개)를 샀다. 오이 피클 담그기에 딱 좋은 크기다.

오이 피클 만들 때 보통 오이 20개~25개로 담근다. 처음에는 양파도 넣어 보고 무도 넣어 보았는데 그리 맛있지 않았다. 골고루 먹을 수는 있지만 오래 두고 먹기엔 안 좋았다. 그냥 오이와 파프리카만 넣고 담가서 김치냉장고에 넣어두면 오래 두어도 맛이 변하지 않는다. 빨강 주황 노랑 파프리카가 색을 더해주어 먹기 전에 눈부터 즐겁다.

오이피클 담그는 것은 그리 어렵지 않다. 오이 자르는데 시간이 조금 걸리지만 자른 오이에 피클 주스만 끓여서 부으면 된다. 피클 주스도 레시피대로 계량하여 팔팔 끓이기만 하면 된다.

오이를 부드러운 1회 용 행주로 조심해서 살살 문질러 깨끗하게 씻어서 소쿠리에 받혀둔다. 물기가 조금 마르면 오이는 물결 칼로 자른다. 물결 칼로 자른 오이는 피클의 분위기를 더해준다. 돈가스집에 가면 주는 그런 피클 같다. 파프리카는 지그재그로 세모 모양으로 자른다.

자른 오이는 커다란 냄비에 담아둔다. 뜨거운 물을 부어야 해서 커다란 유리 용기에 넣어도 되는데 경험상 큰 냄비가 최고다. 식으면 그때 김치통에 옮겨 담으면 된다. 김치통은 플라스틱이라 뜨거운 물을 부으면 안 좋을 것 같아 나는 조금 번거로워도 이렇게 한다.

또 다른 큰 냄비에 피클 주스를 끓인다. 가장 중요한 것이 피클 주스 레시피다. 피클 주스에는 물, 식초, 설탕, 소금이 들어간다. 대부분 채소 장아찌를 담글 때는 식초, 설탕, 간장, 물을 일 대 일 대 일로 계량하여 끓여서 붇거나 식혀서 부어주면 된다. 너무 신맛이 싫으면 식초량만 조금 줄이면 된다.

(우리 집 오이피클 주스 레시피)

오이 20~25개, 파프리카 색깔별로 1개씩

물 8컵(물 1컵은 머그컵 가득)

설탕 4컵(종이컵 기준)

식초 3컵 반(종이컵 기준)

소금 2스푼 (깍지 말고 조금 넉넉히)

월계수잎 3~5장

통후추 1스푼(없으면 안 넣어도 됨)

오이가 20개든 25개든 피클 주스의 양은 별반 다르지 않다. 오이가 살짝 잠기면 된다. 피클 주스를 팔팔 끓여서 뜨거울 때 썰어놓은 오이에다 붇고 뚜껑을 닫아둔다. 잠기지 않는 것처럼 보이지만 나무 주걱으로 조금 눌러주고 무거운 그릇으로 눌러 주면 오이가 딱 맞게 잠긴다. 잠시 후에 보면 초록 오이가 노란색으로 변한다. 이제 식기를 기다려 김치통에 옮겨 담고 김치냉장고나 냉장고에 2~3일 두었다가 먹으면 된다.

끓인 피클 주스 / 사용한 계량컵

피클 주스 넣기 전 / 끓인 피클 주스 넣은 후

오이 피클은 새콤달콤해서 봄을 부른다. 벌써 내 입속에 봄이 찾아왔다. 감기로 조금씩 떨어졌던 입맛이 돌아올 것 같다. 피자나 치킨과 먹어도 좋지만, 그냥 매일 김치를 먹듯 먹는다. 고기 구워 먹을 때도 생각보다 맛있다. 봄을 부르는 상큼한 맛 오이 피클로 봄을 상큼하게 느끼고 건강도 챙기길 바란다.

아들 며느리에게도 보내주어 상큼한 봄을 함께 맞이해야겠다.

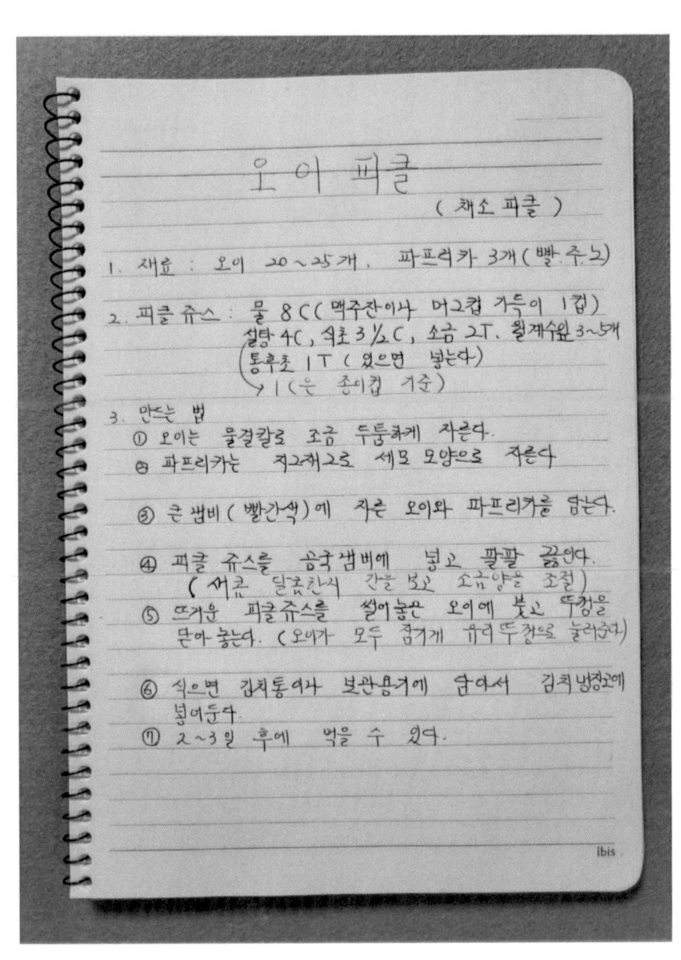
오이 피클

(채소 피클)

1. 재료 : 오이 20~25개, 파프리카 3개 (빨.주.노)

2. 피클 쥬스 : 물 8C (맥주잔이나 머그컵 가득이 1컵)
설탕 4C, 식초 3½C, 소금 2T, 월계수잎 3~5개
통후추 1T (있으면 넣는다)
→ 1C은 종이컵 기준)

3. 만드는 법
① 오이는 물결칼로 조금 두툼하게 자른다.
② 파프리카는 지그재그로 세모 모양으로 자른다
③ 큰 냄비(빨간색)에 자른 오이와 파프리카를 담는다.
④ 피클 쥬스를 곰국냄비에 넣고 팔팔 끓인다.
(새콤 달콤한지 간을 보고 소금양을 조절)
⑤ 뜨거운 피클쥬스를 썰어놓은 오이에 붓고 뚜껑을 닫아 놓는다. (오이가 모두 잠기게 유리뚜껑으로 눌러준다)
⑥ 식으면 김치통이나 보관용기에 담아서 김치냉장고에 넣어둔다.
⑦ 2~3일 후에 먹을 수 있다.

ibis

유 셰프 요리 교과서 '오이 피클' 편

큰아들이 좋아하는 두부 버섯전골

지난 2월 26일(2023년)부터 3박 4일 동안 작은아들 쌍둥이네와 일본으로 여행을 다녀올 예정이었다. 교토와 오사카에 가려고 비행기표와 호텔 예약도 마쳤다. 그런데 2월 19일에 친정엄마가 병원에 입원하시게 되어 모든 일정을 취소하였다. 호텔과 비행기표는 입원 확인서 등을 제출하고 환불받았다. 다행히 위약금은 물지 않았다.

쌍둥이 손자는 유치원 선생님과 친구들에게 일본 간다고 자랑을 했다고 한다. 왕할머니가 아프셔서 달나라에 가셔서 지금은 못 가고 다음에 가자고 달랬다고 한다. 다시 5월에 가는 걸로 예약을 바꾸었다.

남편과 나는 출근 때문에 같이 가지 못하게 되었다. 손자와 함께 못 가서 조금 아쉽지만, 일본이야 가까우니 마음만 먹으면 갈 수 있는 곳이라 다음에 가면 된다.

큰며느리 친한 친구가 일본에서 산다고 한다. 일본으로 여행을 오라고 여러 번 이야기해서 오늘 일본으로 떠났다. 우리 집이 공항에서 비교적 가깝기에 금요일 저녁에 우리 집에 왔다. 손자가 아직 7개월이 조금 안 되어 아이 짐 때문에 캐리어가 두 개다. 친구도 17개월 된 아기가 있어 유모차도 빌릴 수 있어서 그나마 짐을 적게 가져가는 거라고 했다. 일본에서 먹일 준우 이유식도 우리 집으로 배달해 놓아서 냉동실에 넣어 두었다. 오랜만에 온 손자가 많이 컸다. 지금쯤 배밀이를 할 때인데 배밀이는 안 하고 자꾸 일어서려고 한다. 우유도 잘 먹고 이유식도 잘 먹어 먹보다. 손을 잡고 있으면 혼자 '끄응!' 하고 일어서는 모습이 정말 귀엽다.

배가 고프면 어찌나 큰 소리로 우는지 얼른 밥을 주어야 한다. 우는 목소리가 장군감이다. 엄마 아빠 식사하라고 잠시 안고 있었는데 제법 묵직했다.

큰아들이 두부를 좋아한다. 초당두부를 조금 두툼하게 썰어서 소금 솔솔 뿌려 들기름에 구워 주면 정말 좋아한다. 그리고 두부와 버섯을 잔뜩 넣은 두부 버섯전골을 좋아한다. 오랜만에 오는 거라서 마트에 가서 두부 버섯전골 재료를 사 왔다.

두부 버섯전골 재료

전골 재료로 버섯 세 종류와 두부 그리고 불고기를 샀다. 양파는 집에 있는 거로 넣었고 깜빡 잊고 호박을 사 오지 못했다. 오랜만에 하다 보니 이런다. 고기를 샀더니 파채를 주어서 그걸 넣으려고 한다. 냉동실에 들어있는 만두도 몇 개 넣으면 좋을 것 같아서 꺼내 놓았다.

먼저 전골냄비 가운데에 양념한 불고기를 넣어주고 가장자리에 썰어둔 버섯을 골고루 넣어주었다. 오늘은 표고버섯, 새송이버섯, 느타리버섯을 준비했다. 그 위에 두부와 만두를 올렸다. 끓이고 보니 만두가 조금 풀어져서 다음에는 만두는 재료가 끓은 후에 넣어야겠다고 생각했다.

이제 미리 준비해 둔 육수를 부어주고 한소끔 끓였다. 요즘 알약 육수 종류도 많아서 편하게 이용한다. 육수는 1리터 정도 부어주었다. 너무 많이 부으면 자작자작한 전골이 아닌 버섯국이 될 수도 있어서 재료가 잠기지 않을 정도로 부어주어야 한다.

한소끔 끓은 후에 준비해 둔 양념 2/3를 풀어주고 간을 보았다. 약간 싱거운 것 같아서 남은 양념을 다 넣었더니 간이 딱 맞았다.

완성된 두부 버섯전골

식탁에 준비한 시금치 무침과 몇 가지 밑반찬을 꺼내고 준비한 소고기 등심을 구워 전골과 함께 먹었다. 파채 무침 대신 돌나물에 초고추장을 살살 뿌려서 고기와 같이 먹으니 더 맛있었다. 며느리가

"어머니가 직접 하셨어요? 전골이 참 맛있네요."

라고 하며 맛있게 먹었다. 아들도 맛있다며 잘 먹는다.

토요일에 큰아들네를 공항에 데려다주었다. 손자가 비행기에서 울지 않고 잘 가기를 바라며 돌아왔다. 돌아오는 공항로가 온통 꽃 축제다. 진달래, 개나리, 벚꽃 목련이 만발이다. 정말 아름다운 계절이다.

다행히 손자는 비행기에서 한 시간 자고, 한 시간은 스튜어디스 누나들의 귀여움을 받으며 잘 도착했다고 한다. 4박 5일 동안 도쿄에서 잘 지내다 오길 바란다. 초대해 준 친구 집에서 지낸다고 하는데 손님 대접하기 힘들 텐데 참 고맙다. 따로 숙소를 잡겠다고 했더니 집에서 함께 지내자고 했다고 한다. 친구 남편이 아이들을 위해 벤도 랜트해

놓았다고 한다. 무척 고마운 친구다.

큰아들네가 즐겁게 여행하고 건강하게 돌아오길 바란다. 가기 전에 아들이 좋아하는 두부 버섯전골을 해주어 마음이 참 좋다.

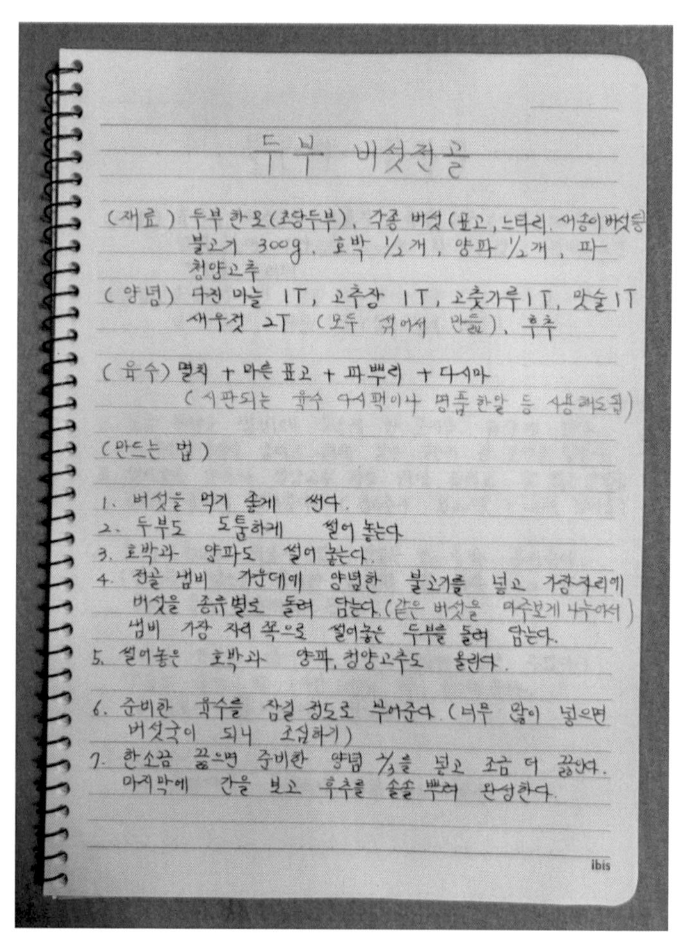
두부 버섯전골

(재료) 두부 한 모(초당두부), 각종 버섯(표고, 느타리, 새송이버섯 등)
불고기 300g, 호박 1/2개, 양파 1/2개, 파
청양고추

(양념) 다진 마늘 1T, 고추장 1T, 고춧가루 1T, 맛술 1T
새우젓 2T (모두 섞어서 만듦), 후추

(육수) 멸치 + 마른 표고 + 파뿌리 + 다시마
(시판되는 육수 다시팩이나 명품 한알 등 사용해도 됨)

(만드는 법)

1. 버섯을 먹기 좋게 썬다.
2. 두부도 도톰하게 썰어 놓는다
3. 호박과 양파도 썰어 놓는다.
4. 전골 냄비 가운데에 양념한 불고기를 넣고 가장자리에 버섯을 종류별로 돌려 담는다.(같은 버섯을 마주보게 나누어서)
냄비 가장 자리 쪽으로 썰어놓은 두부를 돌려 담는다.
5. 썰어놓은 호박과 양파, 청양고추도 올린다.
6. 준비한 육수를 잠길 정도로 부어준다 (너무 많이 넣으면 버섯국이 되니 조심하기)
7. 한소끔 끓으면 준비한 양념 2/3을 넣고 조금 더 끓인다.
마지막에 간을 보고 후추를 솔솔 뿌려 완성한다.

유 세프 요리 교과서 '두부 버섯전골' 편

비 오는 휴일에 만든 수제 누룽지

오늘은 어린이날 100주년이라 더 의미가 있다. 오늘 많은 행사가 예정되어 있었을 텐데 비 예보로 행사가 축소되었을 것 같다. 우리 집 쌍둥이 손자도 비가 와서 온종일 집에 있다고 했다.

마침 금요일이라 3일 황금연휴다. 황금연휴지만 여행 계획도 없어서 아침부터 미뤄두었던 집안일을 하려고 한다. 아침은 남편이 만들어 준 브런치로 해결하였다. 식빵 샌드위치와 커피다. 식빵 안에 치즈와 견과류, 달걀을 넣어 팬에 구우면 되는 데 샌드위치 팬을 사고 늘 남편이 만들어서 사실 나는 사용할 줄 모른다. 주말에 식빵을 사서 가끔 만들어 주는 남편의 특별 메뉴가 되었다.

어버이날이라고 며느리 회사에서 보내주신 참외를 깎아서 함께 먹었다. 며느리가 회사에서 훌륭하다는 편지와 함께 한 상자를 보내주셨다. 감사하다. 혼자서 먹기엔 너무 많아서 싱싱할 때 드시라고 가까운 이웃과 나눠 먹었다. 나눠주다 보니 우리 집에는 참외 6개만 남았다. 참외는 싱싱하고 맛있었다.

남편은 요즘 서 세프란 별명을 갖게 되었다. 같은 아파트 단지에 사는 시누이네와 함께 식사할 때도 늘 남편이 요리 솜씨를 발휘한다. 얼마 전에 홈쇼핑을 보다가 이연복 세프의 팔보채를 주문하였다. 채소 한 봉지와 해물 한 봉지 그리고 소스가 따로 포장되어 배달되었다. 남편이 요리를 완성하였는데 생각보다 내용물도 좋고 맛도 있어서 집에서 훌륭한 중국 요리를 맛보았다.

남편은 텔레비전에서 요리 프로그램을 즐겨 시청한다. 그러면 꼭 응용하여 멋진 요리를 만든다. 아무래도 내가 주방을 내주어야 하지 않을까 생각된다. 나는 그냥 채소 다듬고 상 차리고 설거지하는 역할 정도만 하고 머지않아서 주방장 일은 남편에게 물려줘야겠다. 그날이 빨리 왔으면 좋겠다.

침대 극세사 이불을 세탁하여 건조기에 넣었다. 양쪽 침대 이불을 두 번 세탁하여 건조기도 두 번이나 돌렸다. 잠시 쉬다가 수제 누룽지를 만들어야겠다고 생각했다. 밥을 해서 먹다가 남으면 팩에 담아서 냉동실에 보관했다가 누룽지를 만든다. 누룽지를 좋아해서 만들어 냉장고에 두고 생각날 때마다 끓여 먹는다. 특히 남편이 식사하고 오는 날에는 혼자서 누룽지를 끓여서 먹는다. 간단하게 반찬 한두 가지만 꺼내서 먹어도 훌륭한 한 끼 식사가 된다.

오래된 프라이팬을 버리지 않고 두었다가 누룽지를 만들 때 사용한다. 냉동 밥을 해동하여 프라이팬에 얇게 편다. 밥알이 손에 묻기 때문에 손에 물을 묻혀가며 펴는 것이 좋다. 물뿌리개로 물을 살살 뿌려주어도 된다. 프라이팬 옆면까지 살짝 올라오게 편다. 불을 처음에는 중간 불로 했다가 조금 갈색으로 변하는 듯하면 약 불로 한다. 약 불로 해두고 보다 보면 프라이팬 옆으로 올라온 밥이 떨어지는 것이 보인다. 뒤쪽이 누렇게 익은 듯하면 뒤집기로 뒤집어서 잠시 둔다. 많이 만들다 보면 감이 온다. 언제 뒤집고 불을 꺼야 하는지 알게 된다. 불을 끄고 프라이팬이 식을 때까지 그대로 두면 양쪽이 노릇노릇한 맛있는 누룽지가 된다.

완성된 누룽지는 몇 시간 상온에 두어 말렸다가 지퍼백이나 플라스틱 용기에 담아 냉장실에 넣어둔다. 오래 두어도 변하지 않아서 오래 두고 먹을 수 있다.

누룽지는 한국 사람이면 싫어하는 사람이 없다. 식당에서 음식을 먹고 후식을 주문하는데 그때 볶음밥과 누룽지가 있으면 꼭 누룽지를 선택한다. 외국 여행을 갈 때도 컵 누룽지를 사서 누룽지를 따로 가져가고 용기는 차곡차곡 쌓아서 부피를 줄여간다. 여행 중에 식사가 입에 안 맞으면 뜨거운 물을 부어 누룽지를 먹는데, 특별한 반찬이 없어도 그냥 누룽지만 먹어도 맛있다.

오늘은 누룽지 두 판이 모두 잘 만들어져서 좋다. 만들어 놓은 누룽지는 한동안 비상식량이 될 거다. 수제 누룽지는 쌀도 좋은 거라서 맛도 있다. 내가 정성 들여 만들었기에 더 맛있게 느껴진다.

비 오는 휴일이 가끔 쉼을 선물하고 밀린 집안일도 할 수 있어서 좋다. 오늘은 아직 정리하지 못한 친정엄마 옷가지도 정리하며 친정엄마를 편하게 보내드려야겠다.

요리 교과서에서 꺼낸 돼지고기 김치찜

벌써 주말이다. 요즘 일주일이 왜 이리 빨리 지나가는지 모르겠다. 바쁜 것도 아닌데 월요일인가 싶으면 벌써 목요일, 다음 날이 주말이다. 누군가가 인생의 속도는 나이 곱하기 2라고 하더니 나의 세월은 120킬로가 넘게 숨차게 달리는가 보다.

이번 주말은 월요일까지 3일을 쉬는 연휴이다. 퇴직한 나에게는 휴일이 특별한 날이 아니지만, 달력에 빨간 글씨가 많으면 아직도 너무 좋다. 퇴직이 아직 완전하게 내 것이 안 된 걸까. 남편은 아직 회사에 다니기에 함께 쉬는 휴일이 반갑다. 남편과 이번 주말에는 옷 정리와 대청소를 하고 10월 3일 개천절에는 강화도 교동도를 다녀오기로 했다. 교동도는 방송에서도 본 적이 있어서 한번 가보고 싶었는데 며칠 전 브런치 스토리에 올라온 교동도 글을 보는 순간 공유하여 남편 카

톡으로 보냈다. 갑자기 보낸 공유 글이 의아했던지 남편이

"이거 왜 보냈어?"

"이번 주말이 연휴인데 월요일에 강화도 교동도 가면 어떨까 해서요"

"많이 밀릴 텐데……."

남편은 차 밀리는 것을 못 참는다. 사람 많은 곳도 싫어해서 예전에 강화도에 가다가 돌아온 적도 있다. 퇴직 기념으로 다녀오자고 했더니 알았다 한다. 개천절에 교동도에 갈 기대감으로 너무 신나게 주말을 보냈다.

주말에 계획한 대로 옷 정리와 대청소를 하였다. 여름옷 중에서 내년에 안 입을 것 같은 옷은 과감하게 따로 상자에 담아 놓았다. 깨끗한 것만 골라서 주일날 교회 아나바다 예향 뜰에 가져가려고 한다. 구피 어항 물도 갈아주고 쌍둥이 범보 침대 모기장도 걷고 온열 텐트로 바꾸어 주었다. 물론 남편이 다했다. 나는 일을 빨리하는 대신 꼼꼼하지 못해 어떤 때는 일을 하고도 잔소리를 듣는다. 남편은 정말 꼼꼼하고 빈틈없이 일한다. 자주 하면 좋겠지만 마음이 내켜야 하는 성격이라 그게 조금 아쉽다. 베란다에 쌓아 두었던 안 쓰는 물건도 정리하고 바닥 물걸레질도 하고 나니 힘은 좀 들었지만, 너무 상쾌하다.

수고한 남편을 위해 요리 교과서에서 꺼낸 '돼지고기 김치찜'을 해주려고 아파트 입구에 있는 단골 정육점에 가서 김치찜에 넣을 목살

2근을 사 왔다. 나는 요리하면 꼭 손 글씨로 레시피를 작성해 둔다. 그러면 다음에 요리할 때 참고가 되기 때문에 레시피북 이름을 '유 세프 요리 교과서'라고 붙였다. 처음에는 삼겹살로 만들어 보았는데 조금 기름져서 느끼했다. 그다음에는 기름이 없는 앞다릿살로 만들었는데 너무 뻑뻑하였다. 이번에는 목살로 만들어 보려고 한다. 부드러운 것을 좋아하는 분은 삼겹살로, 조금 뻑뻑하지만 담백한 맛을 좋아하는 분은 가격도 저렴한 뒷다리살이나 앞다릿살로 하면 될 것 같다.

작년 12월에 담근 묵은지가 김치냉장고에 네 통이나 있어서 김치 부자이다. 묵은지로 끓인 참치김치찌개, 두부김치, 설탕 조금 넣고 들기름으로 달달하게 볶은 묵은지 김치 볶음 등 다양한 반찬을 만들 수 있기 때문이다. 오늘은 요리 교과서를 보고 돼지고기 김치찜에 도전해 보았다. 내 요리 교과서에는 여러 가지 요리가 들어있지만, 오늘 땀을 많이 흘린 만큼 매콤한 요리가 좋을 것 같아 꺼내 보았다. 세 번째로 자신 있게 도전해 보는 요리라 오늘도 꼭 성공하고 싶다.

(돼지고기 김치찜 레시피)

<재료 준비>

1. 묵은지 배추김치 2포기 : 머리만 자르고 통으로 준비한다.
2. 목살 2근 : 수육 할 때처럼 조금 두껍게 잘라 온다.
3. 양파 반개, 청양고추 2~3개, 썰은 대파, 마늘 다진 것 넉넉히 2~3T(우리 집은 마늘 다진 것과 대파 썬 것, 청양고추 썬 것은 지퍼백에 담아 냉동실에 보관해 두고 요리할 때 늘 사용함)

4. 들어갈 양념 : 고춧가루 2T, 간장 1T, 만능간장 1T, 새우젓 1T , 설탕 2T, 그리고 된장 1T(많이 넣지 않음)

*새우젓은 김장하고 남은 것을 냉동실에 보관하고 필요할 때 사용함

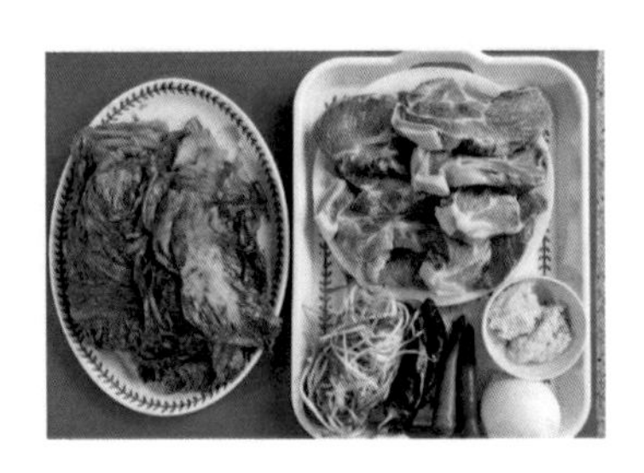

돼지고기 김치찜 재료 준비

<만드는 법>

1. 조금 두꺼운 냄비에 묵은지 한 포기를 바닥에 깐다.
2. 그 위에 목살을 올리고 위에 남은 묵은지 한 포기를 덮는다.
3. 썰어 놓은 양파와 청양고추, 파를 위에 올리고 잘 섞은 양념을 골고루 넣어준다(고춧가루 주문할 때 함께 보내온 빨간 건 고추가 있어 2개를 넣어 보았음).
4. 물 1리터를 재료가 약간 잠길 듯 말 듯 하게 부어주고 뚜껑을 닫는다(쌀뜨물을 넣으면 좋지만 없으면 생수를 넣는다. 쌀뜨물은 쌀 씻을 때 나오는 물을 사용하지만, 갑자기 필요할 때는 물에 찹쌀가루를 1, 2스푼 넣고 잘 저어서 사용해도 됨).

5. 처음에 센 불로 끓이다가 끓기 시작하면 조금 두었다가 약 불로 줄여 약 1시간 정도 푹 끓여준다. 김치가 푹 익어야 맛있다.
6. 이제 기다리면 맛있는 김치찜이 완성된다.

완성된 모습

완성된 돼지고기 김치찜을 큰 접시에 담아서 식탁에 올려놓고 가위로 고기와 김치를 먹기 좋은 크기로 잘라서 앞접시에 올려서 밥과 함께 먹는다.

김치찜은 누가 만들어도 맛있을 것 같다. 매콤한 음식이 당길 때면 집에서 쉽게 만들어 먹을 수 있는 요리이다. 여러 사람이 모일 때 단품 요리로 만들면 많은 반찬이 없어도 한 끼는 모두 맛있게 먹을 수 있을 것 같다. 오늘 목살로 만든 김치찜은 기름진 것을 좋아하지 않는 우리 입맛에 딱 맞았다. 다음에는 등갈비찜이나 묵은지 닭볶음탕도 만들어 보고 싶다. 맛이 어떨지 궁금하다.

오늘 땀 흘리고 일한 후에 먹어서 그런지 꿀맛이다. 요즘 소식하지만, 오늘은 몸무게 생각하지 않고 오랜만에 정말 배불리 먹었다. 남편도 너무 맛있다고 요리 솜씨가 점점 는다고 칭찬해 주었다. 오늘 저녁은 50만 원짜리 요리라고 한다. 남편은 가끔 맛있게 먹은 날이면 오늘 저녁은 30만 원짜리, 40만 원짜리 등으로 칭찬해 주어 저녁 식사를 웃음으로 행복하게 마무리하게 해 준다.

당연히 저녁 식사 후엔 함께 정리한다. 남은 반찬은 남편이 냉장고에 정리하고 나는 설거지를 한다. 설거지하는 동안 남편은 식탁을 닦고 전기레인지도 닦아주며 돕는다. 둘이 함께 정리하니 식사 후 뒷정리도 금방 끝난다.

오늘은 배가 너무 불러 설거지한 후에 아파트라도 몇 바퀴 걷고 와야겠다. 오늘 잘하는 요리가 하나 더 늘어 행복이 또 더해졌다.

10월도 오늘 저녁처럼 건강하고 행복한 한 달이길 기도하며

오늘도 행복으로 마무리한다.

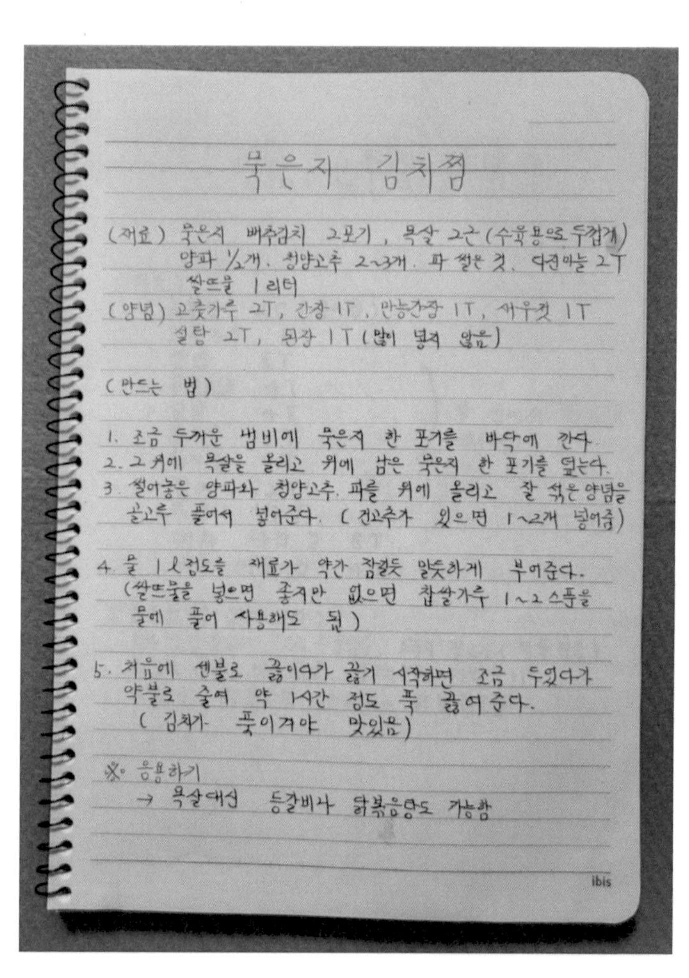
묵은지 김치찜

(재료) 묵은지 배추김치 2포기, 목살 2근(수육용으로 두껍게)
양파 ½개, 청양고추 2~3개, 파 썰은 것, 다진마늘 2T
쌀뜨물 1리터
(양념) 고춧가루 2T, 간장 1T, 만능간장 1T, 새우젓 1T
설탕 2T, 된장 1T (많이 넣지 않음)

(만드는 법)

1. 조금 두꺼운 냄비에 묵은지 한 포기를 바닥에 깐다.
2. 그 위에 목살을 올리고 위에 남은 묵은지 한 포기를 덮는다.
3. 썰어놓은 양파와 청양고추, 파를 위에 올리고 잘 섞은 양념을 골고루 풀어서 넣어준다. (건고추가 있으면 1~2개 넣어줌)

4. 물 1ℓ 정도를 재료가 약간 잠길듯 말듯하게 부어준다.
(쌀뜨물을 넣으면 좋지만 없으면 찹쌀가루 1~2스푼을 물에 풀어 사용해도 됨)

5. 처음에 센불로 끓이다가 끓기 시작하면 조금 두었다가 약불로 줄여 약 1시간 정도 푹 끓여준다.
(김치가 푹이겨야 맛있음)

※ 응용하기
→ 목살대신 등갈비나 닭볶음탕도 가능함

유 세프 요리 교과서 '묵은지 김치찜' 편

요리한 나도 깜짝 놀란 꽃게탕의 맛

난 가끔 꽃게탕이 생각난다. 특히 늦가을날 스산한 바람이 불 때면 꽃게탕이 너무 먹고 싶다. 내가 먹어 본 꽃게탕 중에서 가장 맛있었던 꽃게탕은 강화도에서 먹은 거다. 꽃게탕이 먹고 싶으면 남편에게 꽃게탕 먹으러 강화도에 가자고 한다. 하지만 알았다란 말만 할 뿐 같이 가지 못했다.

10월 초에 우연히 집 앞에 있는 홈플러스 슈퍼에 갔다가 꽃게를 싸게 파는 것을 목격했다. 장 보러 오신 어르신들이 줄 서 있었다. 나도 호기심에 꽃게 파는 곳으로 가서 꽃게 사는 광경을 지켜보았다. 상자를 열고 톱밥에 숨어있는 꽃게를 집게로 꺼내 들면 꽃게가 살아서 퍼덕거렸다. 꽃게도 크고 거기다 수산 시장도 아닌데 살아있는 꽃게를 살 수 있다는 것은 행운이다. 하지만 지금 당장 요리해서 먹을 형편도 안되어 살까 말까 망설이다가 어르신 한 분에게 여쭈어보았다.

"혹시 이거 냉동했다가 먹어도 될까요?"

"그럼, 물에 한 번 씻어서 톱밥만 제거하고 냉동해서 먹으면 돼."

이렇게 살아있는 꽃게를 만나기 어려운데 사다가 냉동실에 넣어두었다가 아들, 며느리 오면 찜통에 쪄서 먹으면 좋겠다고 생각했다. 지금 안 사면 왠지 손해 보는 것 같아

"좋은 것으로 보내주세요."

라고 말하며 꽃게 한 상자를 배달시켰다. 상자 안에 있는 꽃게가 좋은 것인지 아니면 조금 안 좋은 것인지 알 수 없을 텐데도 그렇게 말했다. 그래야 좋은 꽃게가 배달될 것 같아서다.

꽃게 한 상자는 3Kg으로 가격도 너무 싸서 29,900원이었다.

집으로 배달된 꽃게 상자를 열어서 싱크대에 물을 받고 꽃게 한 마리씩 톱밥을 털어 물에 풍덩 집어넣었다. 살아있는 것도 있고 죽은 것도 있었지만 꽃게가 크고 살도 꽉 차 보였다. 꽃게가 11마리나 되었다. 암꽃게는 겨우 한 마리고 나머지 10마리는 모두 수꽃게였다. 살아있는 꽃게를 씻어서 지퍼백에 넣는 일도 너무 힘들었다. 혹시 씻다가 물릴 수 있어서 집게발 집게 하나를 가위로 자르는 것도 힘들었다. 이럴 때는 남편이 있어야 하는데. 남편은 내가 하지 못하는 어려운 일을 마다하지 않고 쉽게 해결해 준다. 꽃게를 손질하며 남편의 소중함을 한 번 더 느껴본다. 나의 해결사 남편이 아직 퇴근 전이라 힘들어도 꽃게를 씻어 냉동실에 넣는 것은 내가 혼자 해내야 하는 일이다. 정말 어렵게 꽃게 11마리를 지퍼백 3개에 나누어서 냉동실에 무사히 넣어두었다.

작은아들이 주말에 온다고 해서 꽃게를 찜기에 쪄서 먹을까 하다가 갑자기 꽃게탕 생각이 났다. 사실 집에서 꽃게탕을 한 번도 끓여보지 못했는데 얼마 전 브런치 인기 글에 올라온 작가님의 '엄마의 밥상'이란 글을 읽게 되었다. 친정어머님이 끓여주신 꽃게탕을 맛있게 먹었다는 글이었는데 비법이 된장을 넣는 것이라고 했다.

그동안은 꽃게탕은 음식점에서 사 먹는 것으로 알았었다. 너무 맛있어 보여서 나도 언젠가는 한번 해봐야지 생각했었다. 그래, 오늘 꽃게탕에 도전해 보는 거야. 유튜브에서 꽃게탕 요리에 대한 영상을 세 개 정도 보며 나만의 요리 교과서에 추가할 꽃게탕 레시피를 작성했다. 그리고 슈퍼에 가서 꽃게탕에 넣을 재료를 사 왔다. 꽃게는 손질하기도 어려워서 먼저 손질하는 것은 유튜브에서 본 대로 꼼꼼하게 했다. 쌍둥이 손자 둘째가 싱크대에 의자를 가져다 놓고 꽃게가 신기한 듯 보고 있다. 칫솔로 지저분한 부분을 닦고 꽃게 다리 부분 먹을 수 없는 반 정도를 가위로 자르고 게딱지도 벗겨 먹기 좋게 잘라서 준비하였다. 꽃게를 손질하는 것도 시간이 걸렸다. 하지만 내가 봐도 깨끗하게 손질을 잘했다.

(우리 집 꽃게탕 레시피)

(재료 준비)

손질한 꽃게 6마리, 무 1/2개, 호박 1/2개, 양파 중간 크기 1개, 미나리 1단, 콩나물 한 줌, 청양고추 3개, 홍고추 2개(건 고추가 있어서 사용함) *무와 호박은 조금 도톰하게 썰어야 부서지지 않는다.

꽃게탕 재료

(꽃게탕에 넣을 양념장)

고춧가루 3T, 간 마늘 2T, 간 생강 1T, 된장 1T, 맛술 2T, 소금 1T, 만능 양념장 2T, 만능 간장 1T(모두 섞어서 준비함), 멸치 액젓 1T(좀 더 깊은 맛을 내준다고 함) *만능 양념장이 없으면 안 넣어도 됨

1. 꽃게가 여섯 마리라서 조금 큰 냄비를 준비함(집에 있는 32cm 냄비를 사용함)
2. 냄비에 물 2리터와 다시마 두 조각, 조금 도톰하게 썰은 무를 넣고 5분 정도 끓인 후 다시마를 건져 낸다.
3. 한소끔 끓은 육수에 양념장 2/3를 넣는다.
4. 바닥에 꽃게 껍질 3개(나머지 3개는 별로 먹을 것이 없어서 껍질은 버렸음)를 깔고 그 위에 손질한 꽃게를 넣고 3분 정도 끓여준다.
5. 콩나물과 양파, 호박, 청양고추, 홍고추를 넣고 다시 끓인다.
6. 마지막에 간을 보고(짜지 않게) 너무 싱거우면 남겨둔 양념장을

넣어주고 미나리와 파를 넣고 한소끔 더 끓여준다(대파는 조금 크게 써는 것이 좋으나 저는 냉동실에 썰어놓은 파를 활용함).

정말 처음 끓여본 꽃게탕이었는데 너무 맛있었다. 국물이 짜지 않고 간도 딱 맞았다. 국물 맛을 어떻게 표현해야 할까? 짜지 않지만 은근하게 우러난 깊은 맛, 달큼하지만 달지 않는 맛. 남편도 아들도 너무 맛있다고 한다. 강화도에서 맛있게 먹었던 그 꽃게탕 맛과 비슷했다. 단지 강화도에서 먹은 꽃게탕에는 단호박이 들어갔는데 오늘은 단호박 대신 호박을 넣었다는 차이다. 내가 요리했지만 나도 깜짝 놀란 맛이었다. 냉면 그릇에 가득 꽃게탕을 담아 밥과 같이 먹는데 먹으며 "맛있다!"를 연발했다. 아들도 한 그릇 먹더니 더 달라고 했다.

아마 처음 해 보는 요리라 정성을 듬뿍 담아 최선을 다해 만들어서 더 맛있었던 게 아닌가 싶다. 정성 한 방울이 들어갔기에 더 맛있게 느껴졌다. 물론 게도 냉동해 놓은 것이지만 싱싱한 것이었고 살도 제법 많아서 발라먹는 재미도 있었다. 게뿐만 아니라 국물도 맛있었고 들어간 무와 호박, 미나리도 너무 맛있었다. 자꾸 입맛이 당기는 그런 맛이었다.

자신 있게 만들 수 있는 요리 하나가 추가되었다. 이제 꽃게탕도 자신 있게 할 수 있는 요리가 되었다. 찬 바람이 불면 그때 한 번 더 요리해서 먹어야겠다. 아직 꽃게 다섯 마리가 냉동실에 있다고 생각하니 너무 행복하다. 다음에는 호박 대신 단호박을 넣어서 한 번 더 끓여보아야겠다. 오늘도 꽃게탕 덕에 행복 하나를 크게 더했다.

행복이 별건가.
이렇게 가족이 모여 맛있는 음식 하나 해 먹어도
마음이 행복하면 그게 행복이지.

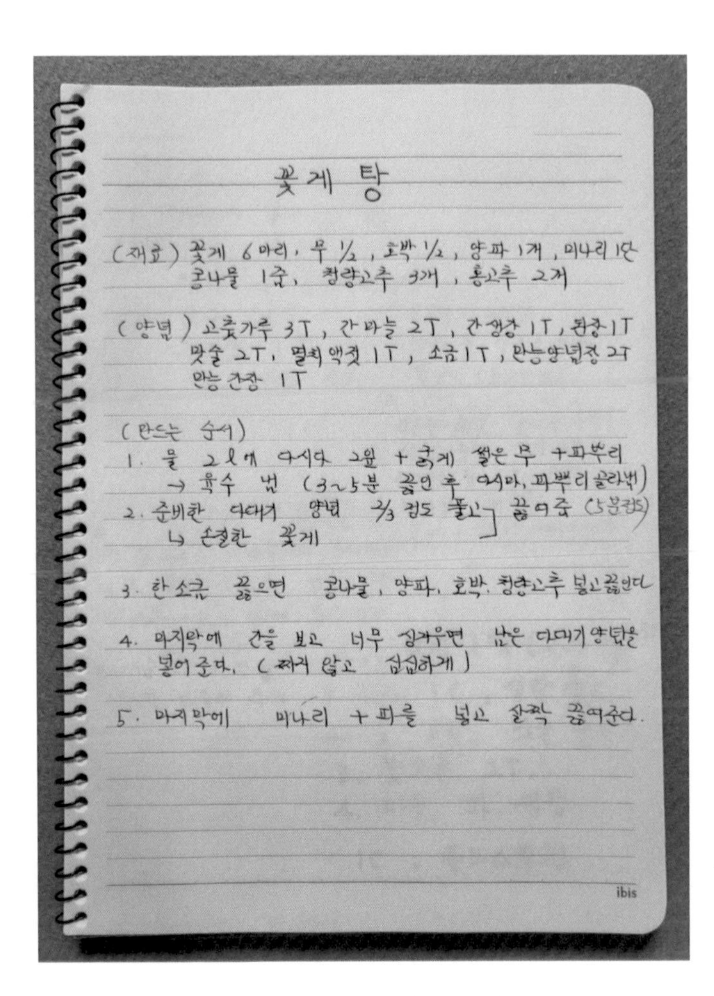
꽃게 탕

(재료) 꽃게 6마리, 무 1/2, 호박 1/2, 양파 1개, 미나리 1단
콩나물 1줌, 청량고추 3개, 홍고추 2개

(양념) 고춧가루 3T, 간 마늘 2T, 간 생강 1T, 된장 1T
맛술 2T, 멸치액젓 1T, 소금 1T, 만능양념장 2T
만능 간장 1T

(만드는 순서)
1. 물 2ℓ에 다시마 2장 + 굵게 썬 무 + 파뿌리
→ 육수 냄 (3~5분 끓인 후 다시마, 파뿌리 골라냄)
2. 준비한 다대기 양념 2/3 정도 풀고] 끓여 줌 (5분 정도)
↳ 손질한 꽃게

3. 한소큼 끓으면 콩나물, 양파, 호박, 청량고추 넣고 끓인다

4. 마지막에 간을 보고 너무 싱거우면 남은 다대기 양념을
넣어준다. (짜지 않고 심심하게)

5. 마지막에 미나리 + 파를 넣고 살짝 끓여준다.

유 세프 요리 교과서 '꽃게탕' 편

다섯 살 손자가 좋아하는 볶음밥과 주먹밥

"할머니, 지우 연우 왔어요."
"할머니 보고 싶었어요."
어찌 이리 애교가 많을까.

주말에 손자를 돌본 지 5년이 넘었다. 그러다 보니 손자가 뭘 좋아하는지 뭘 잘 먹는지 훤히 잘 안다. 이번 주 금요일에도 작은아들이 쌍둥이 손자를 데리고 왔다. 지난주는 우리가 고향에 다녀오느라 2주 만에 온 거다. 요즈음은 서로 일이 있을 때는 못 오기 때문에 거의 2주에 한 번 정도 온다.

요즘 날씨가 더웠다 추웠다 변덕이 심해서인지 둘 다 기침을 하고 목도 조금 부어서 밥을 잘 안 먹는다고 했다. 배가 홀쭉하다. 어린이

집이나 유치원에 다니면 면역력이 떨어지는 원아들이 감기에 자주 걸린다고 하더니 쌍둥이 손자도 코감기가 자주 걸렸다. 코감기가 걸리면 소아과에 가서 처방한 약을 먹는데 1주일 정도 지나야 낫는 것 같다. 아이들이 아프면 아이도 힘들지만, 부모도 힘들다. 이번에는 기침도 하고 목도 부어서 이비인후과에서 약 처방을 받았다고 했다.

감기에 걸리긴 했으나 다행스러운 것은 컨디션이 아주 나쁜 것 같진 않다. 오자마자 트램펄린에 올라가서 뛴다. 우리 집 쌍둥이는 여름에도 '루돌프 사슴코'를 틀어주면 반사적으로 트램펄린에서 널뛰기하듯 번갈아 머리로 하늘을 찌르듯 높이 뛰어오른다. 누가 더 높이 뛰나 내기라도 하듯 잘도 뛴다. 이럴 땐 둘이라 더 좋다.

목이 조금 부어 밥을 잘 안 먹는다고 해서 뭘 해서 먹일까 고민하다가 쌍둥이가 좋아하는 볶음밥을 해야겠다고 생각했다. 볶음밥에는 여러 가지 채소와 소고기가 들어가니 영양도 좋다. 그리고 반찬과의 전쟁도 없어 먹이기도 편하다.

(우리 집 볶음밥 레시피)

1. 볶음밥에 들어갈 채소로 감자 1개, 당근과 호박 조금, 오늘은 처음으로 양파를 조금 넣어 보았다.

2. 소고기는 한우로 150~200그램을 준비한다(정육점에서 만 원어치 정도 갈아 달라고 한다).

3. 들어갈 양념은 아주 간단하다. 올리브 오일, 굴소스, 참기름, 소금

이다. 일반 식용유로 해도 되지만 손자에게 먹일 음식은 좋은 것으로 해주고 싶어 꼭 엑스트라 버진 올리브 오일을 사용한다.

4. 채소는 적당히 썰어서 다지기로 다진다. 요즈음 마트에 가면 각종 채소를 잘게 다져놓은 냉동 큐브 채소도 있다고 하는데 나는 꼭 싱싱한 채소를 직접 썰어서 사용한다. 귀한 손주 먹일 거니까.

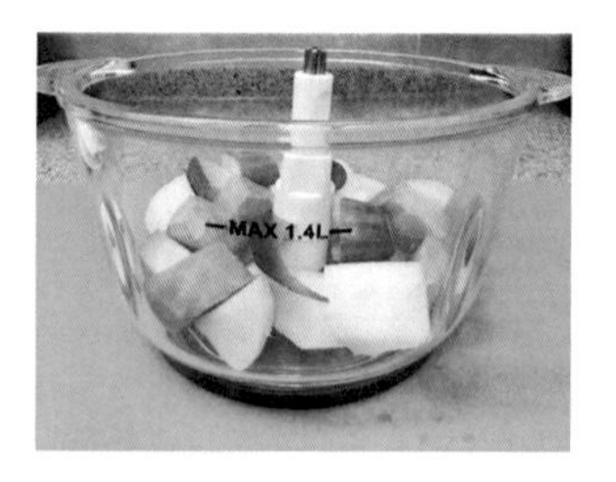

5. 이제 볶을 차례다. 웍에 올리브 오일 2T를 넣고 소고기 다짐육을 볶아준다. 반 정도 익으면 채소 다진 것을 넣고 볶다가 굴소스 1/2T, 소금 두 꼬집을 넣고 볶다가 참기름 1T를 넣고 볶아준다.

6. 밥은 세 공기를 준비한다. 가득 보다 조금 적게 준비한다.

7. 볶은 채소와 밥을 넣고 잘 볶아준다. 밥이 뭉치지 않도록 골고루 뒤집으며 볶아준다.

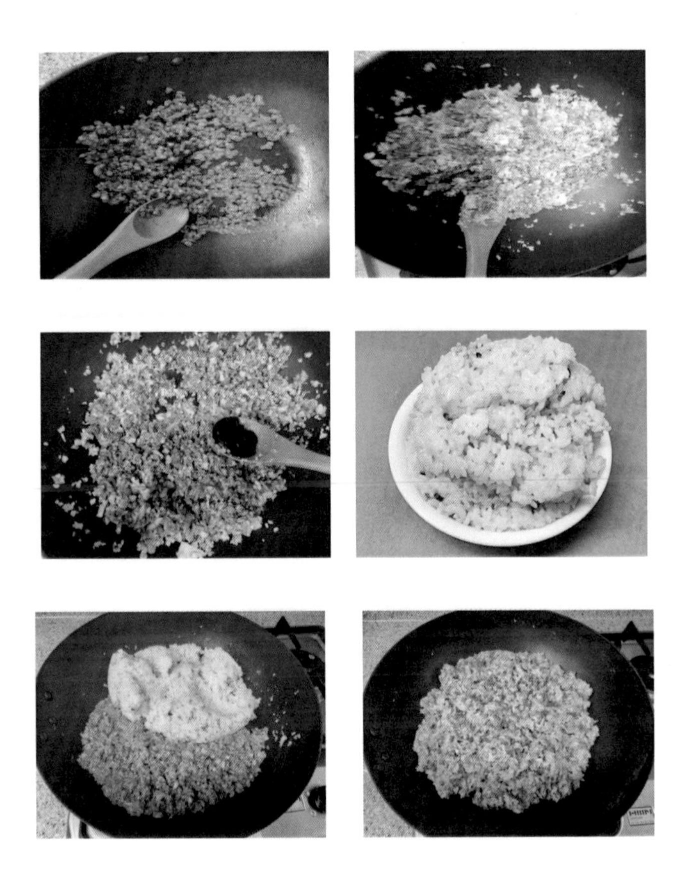

8. 이제 이유식 통에 담아둔다. 이유식 통으로 네 통이 나온다. 우리 집은 손자가 쌍둥이라 눌러서 가득 담지만 혼자 먹을 때는 1인분

을 담아놓으면 될 것 같다. 한 통이 쌍둥이 한 끼 분량이다.

9. 끼니마다 볶음밥을 만들기는 어려워 항상 네 통 정도 만들어서 식으면 냉장고에 넣어두고 먹을 때 데운다. 전자레인지에 1분 30초 데우면 따뜻하게 데워진다.

(볶음밥 활용하기)

1. 아침에는 주로 만든 볶음밥으로 주먹밥을 만들어 준다. 볶음밥에 멸치 볶은 것과 시금치나물을 잘라서 넣어주고 김 띠를 둘러준다. 김 띠를 해주면 포크로 먹을 때 주먹밥이 부서지지 않는다. 주먹밥에 충분한 영양이 다 들어있어서 밥맛 없어 할 때 좋다.

쌍둥이 손자 한 끼 주먹밥(1인당 10~12개)

2. 다음으로 볶음밥에 카레나 짜장을 넣고 비벼준다. 그냥 간편하게 3분 카레나 3분 짜장을 사서 비벼서 약간의 반찬과 함께 차려준다. 우리 집 쌍둥이가 짜장과 카레를 좋아하기 때문에 맛있게 먹는다.

3. 그냥 볶음밥과 반찬으로 먹기도 한다. 쌍둥이는 메추리알 조림을 좋아해서 메추리알 조림과 잘 먹는다.

2박 3일 동안 쌍둥이가 잘 놀다 갔다. 우리 집에서 기침도 많이 하지 않고 목도 많이 좋아지고 밥도 잘 먹었다. 약도 하루 세 번 꼭 먹였고 방과 거실에 가습기도 틀어주고 난방도 약하게 틀어 놓았다. 아침과 저녁은 밥 먹이고 중간에 어린이 치즈를 간식으로 먹였다.

점심은 호박 고구마를 에어프라이에 구워서 으깬 후에 플레인 요플레에 섞여서 먹인다. 그 이름 '고구마 요플레'이다. 유산균 대신 먹이는데 배변에도 도움이 된다.

고구마 요플레

손자는 과자도, 초콜릿도, 탄산음료도 안 먹는다. 먹이려고 해도 절대 안 먹는다. 그나마 치즈와 고구마 요플레는 잘 먹는다. 둘째는 바나나 등 과일을 조금 먹지만 큰 손자는 과일도 안 먹어 밥이 전부이다. 다른 집은 과자나 사탕 등을 먹지 못하게 하는데 우리 집은 억지로 먹이려고 시도해도 안 먹는다. 잘 먹어야 키도 크고 몸무게도 늘어날 텐데 편식 때문에 조금 걱정이 된다.

쌍둥이 손자와 이번 주말도 잘 보냈다. 손자가 오면 몸은 조금 힘들지만, 마음은 늘 행복하다. 이렇게 글감도 물어다 주고 웃음도 주어 늘 손자 올 때를 기다린다. 이번 주는 토요일에 날씨가 좋아서 집 근처 근린공원에 바람 쐬러 잠시 다녀오고 집에서만 보냈다. 지난주는 감기 때문에 유치원도 며칠 결석했다고 한다. 잘 먹고 감기가 얼른 나았으면 좋겠다.

할머니 음식이 사랑을 타고 손자에게 가서
늘 잘 먹고 건강하길 바란다.

조금 특별한 황태 뭇국

설 연휴는 무척 추웠다. 칼날 같은 추위를 뚫고 작은아들은 쌍둥이를 데리고 대관령을 다녀왔다. 평창 발왕산 케이블카를 타는 사진을 보내왔다. 쌍둥이는 패딩 입고 모자 쓰고 장갑까지 끼고 행복한 표정이었다.

다녀오며 용대리 황태채를 사다 주었다. 황태는 대관령 덕장에서 얼었다 녹았다를 반복하며 겨울이 추울수록 맛이 좋다고 한다. 남편이 주방 한쪽에 있던 황태채로 황탯국을 끓여 달라고 했다.

마침 사다 놓은 콩나물도 한 봉지 있고 강화도 갔을 때 얻어온 작은 무도 있어서 재료는 충분했다. 거기다가 우리 집 냉동실에는 늘 썰어서 보관된 파와 청양고추, 갈아놓은 마늘이 있으니 준비는 완벽하다.

나는 시간이 있을 때 대파를 사서 썰어서 냉동실에 넣어둔다. 빨간 고추, 파란 고추도 썰어서 넣어두고 마늘도 갈아서 깍두기처럼 네모 조각으로 만들어 얼려놓고 먹는다.

마늘은 다지기로 갈아서 쟁반 위에 비닐 팩을 올리고 다진 마늘을 비닐 팩에 넣어 평평하게 편다. 숟가락으로 가로 세로를 꾹꾹 눌러 금을 만들어 냉동실에 얼린 후 똑똑 네모 모양으로 잘라서 지퍼백에 담는다. 이렇게 하면 요리할 때마다 꺼내서 편하게 사용할 수 있다.

냉동실에 보관한 파, 청양고추, 마늘

먼저 콩나물을 씻어서 소쿠리에 받쳐두었다. 무도 감자 깎는 칼로 껍질을 벗기고 뭇국 끓일 때처럼 작게 썰었다. 오늘의 주인공 황태채는 아주 큰 것만 가위로 잘라서 그물망에 담아 물에 조물조물 문질러 두 번 씻어서 꼭 짜 두었다.

냄비에 황태채와 무, 마늘 한 스푼(마늘 두 조각)을 넣고 참기름 두 스푼을 넣어 볶아주었다. 볶다가 탈 것 같아 물을 조금 넣고 국간장 두 스푼을 넣고 달달 볶았다. 미역국을 끓일 때도 참기름에 소고기를 볶다가 미역을 넣고 볶아준다. 이때 국간장을 넣고 볶아주면 미역에

간이 배어서 미역국이 맛있다. 황태채와 무에 간이 배어 끓였을 때 무가 싱겁지 않고 맛있다.

이제 물 1.5리터를 넣고 콩나물을 넣어 뚜껑을 닫고 한소끔 끓인다. 홍고추와 청양고추 썬 것을 넣고 새우젓 한 스푼을 넣었더니 조금 싱거워서 한 스푼 더 넣어 간을 맞추고 마지막에 썰어 놓은 대파를 넣었다.

오늘은 조금 특별한 콩나물 황태 뭇국이다. 며칠 전에 시누이가 가져다준 쌍란을 넣었다. 쌍란은 달걀 하나에 노른자가 두 개다. 모양도 조금 큰데다 달걀이 매끈하지 않고 약간 울퉁불퉁하다. 이제 한소끔 끓이면 깊은 맛이 나는 콩나물 황태 뭇국이 완성된다.

남편은 오늘 KTX를 타고 공주로 출장을 다녀왔다. 날이 많이 춥지 않았으나 서울역까지 가서 지방 출장을 다녀오느라 힘들었을 것 같다. 저녁에 따뜻한 국을 먹으니 좋다고 한다. 맛도 그런대로 괜찮았다. 오늘은 순전히 집에 있는 재료로 황태 뭇국을 끓였다.

요즘 알배기 배추가 맛있어 우린 저녁마다 먹는다. 김칫소를 싸서 먹기도 하고 쌈장에 찍어 먹기도 한다. 고기와 파김치를 올려 먹기도 하며 겨우내 알배기 배추에 빠졌다. 먹다가 남으면 배추전을 만들어 먹으면 정말 담백하면서도 맛있다.

배추전

월요일에 만든 콩자반이랑 멸치 조림도 있어서 밑반찬으로 차린 조촐한 밥상이었지만 맛있게 잘 먹었다. 황태 뭇국에 밥을 말아서 김장김치와 설 전에 만들어 놓은 잘 익은 동치미와 함께 먹으니 다른 반찬이 필요 없다.

그래, 겨울에는 따뜻한 국이 있어야 제맛이지.

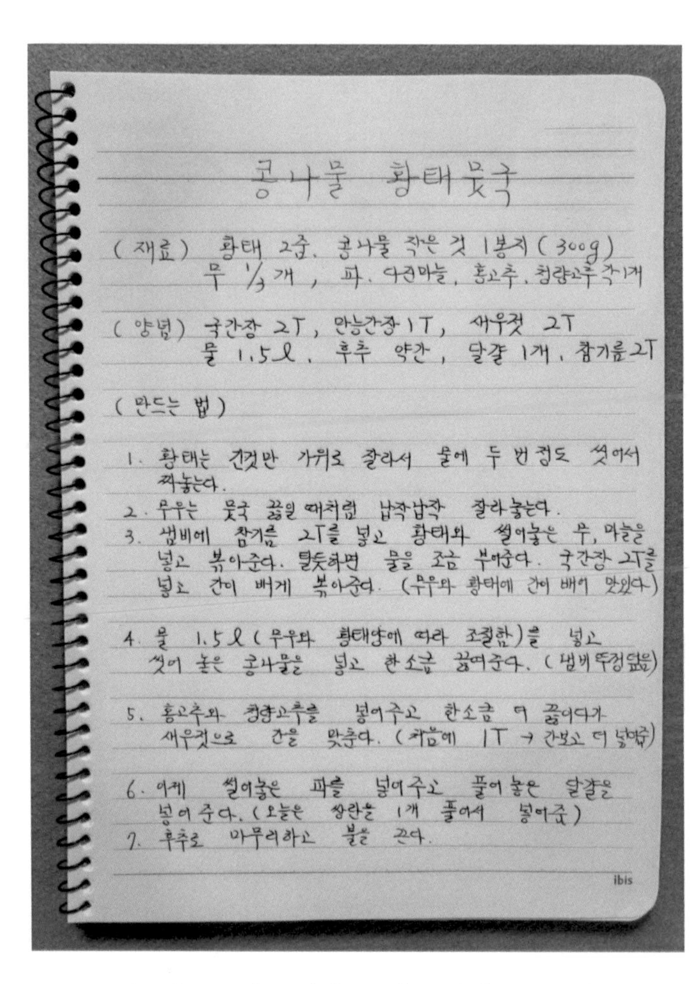

콩나물 황태뭇국

(재료) 황태 2줌, 콩나물 작은 것 1봉지(300g)
무 1/3개, 파, 다진마늘, 홍고추, 청량고추 각1개

(양념) 국간장 2T, 만능간장 1T, 새우젓 2T
물 1.5ℓ, 후추 약간, 달걀 1개, 참기름 2T

(만드는 법)

1. 황태는 긴것만 가위로 잘라서 물에 두 번정도 씻어서 짜놓는다.
2. 무우는 뭇국 끓일 때처럼 납작납작 잘라놓는다.
3. 냄비에 참기름 2T를 넣고 황태와 썰어놓은 무, 마늘을 넣고 볶아준다. 뻑뻑하면 물을 조금 부어준다. 국간장 2T를 넣고 간이 배게 볶아준다. (무우와 황태에 간이 배어 맛있다)

4. 물 1.5ℓ(무우와 황태양에 따라 조절함)를 넣고 씻어 놓은 콩나물을 넣고 한소끔 끓여준다. (냄비뚜껑덮음)

5. 홍고추와 청량고추를 넣어주고 한소끔 더 끓이다가 새우젓으로 간을 맞춘다. (처음에 1T → 간보고 더 넣어줌)

6. 이제 썰어놓은 파를 넣어주고 풀어 놓은 달걀을 넣어 준다. (오늘은 쌍란을 1개 풀어서 넣어줌)
7. 후추로 마무리하고 불을 끈다.

유 세프 요리 교과서 '콩나물 황태 뭇국' 편

2023년 햇 서리태로 만든 추억의 콩자반

매년 서리태(검정콩)를 주문한다. 작년부터 친환경 서리태를 주문했다. 남편 초등학교 동창이 경기도에서 농사를 짓는다. 농약을 주지 않고 친환경으로 농사를 짓는다고 한다. 서리태를 추수했다는 소식이 들리기만 기다렸다.

지난주에 남편에게 전화가 왔다. 기다린 만큼 반가워서 얼른 주문하라고 했다. 1년 동안 먹을 거라 넉넉히 한 말(7kg)을 주문했다. 작년에도 주문하여 며느리와 시누이에게 나누어 주었다. 우리는 주로 밥에 넣어서 먹는다.

작년에 모르고 냉장고에 넣지 않았더니 봄에 날씨가 따뜻해지자 곰팡이가 펴서 깜짝 놀랐다. 곰팡이가 핀 걸 보니 친환경 서리태라는 생각이 들었다. 물에 깨끗하게 씻어 밀폐용기에 담아 김치냉장고에 두고 1년 동안 먹었다. 올해는 보관도 잘해야겠다.

서리태하면 국민 밑반찬 추억의 콩자반이 생각난다. 친정엄마가 만들어 주시던 콩자반이 참 맛있었다. 한 번도 해 보지 않아서 어느 날 반찬가게에서 사 먹었다. 쪼글쪼글해야 맛있는데 물컹해서 맛이 없었다.

요즘 어떤 세상인가. 유튜브에 물어보면 뭐든지 친절하게 가르쳐 주지 않는가. 유튜브에서 콩자반 만드는 영상 몇 개를 보고 나만의 레시피를 만들었다. 늘 그래왔지만 가장 간단한 레시피를 찾았다. 작년 겨울에 태어나서 처음 콩자반을 만들어 보았다.

처음 만들었는데 신기하게도 너무 맛있게 잘 되었다. 밥 먹을 때 자꾸 손이 갔다. 남편도 맛있다고 하며 요리에 소질이 있는 것 같다고 칭찬했다. 그 후에 두 번 정도 만들어 먹었다.

올해 서리태를 기다린 것은 얼른 콩자반을 만들어 먹고 싶어서였다. 물론 마트에서 살 수도 있었지만, 왠지 다른 서리태는 사고 싶지 않았다.

드디어 서리태가 도착하여 먼저 콩밥을 지었다. 나는 꼭 압력솥에 밥을 짓는다. 전기밥솥도 있지만 잡곡밥은 압력솥에 지어야 맛있다. 우리 집은 남편과 두 식구고 저녁에만 밥을 먹기에 보온 밥솥에 밥을 보관하지 않는다. 냉동 용기에 담아서 냉동시켰다가 레인지에 데워 먹는다. 그러면 바로 지은 밥 같다.

밥하는 동안 콩자반 만들 준비를 하였다. 나만의 콩자반 레시피다. 오늘도 맛있는 콩자반이 만들어지길 기대해 본다. 콩을 불려주는 시간을 확보해야 하기에 콩이 도착하자마자 바로 시작했다. 나는 요리를 늘 공식에 맞추어서 하는 걸 좋아해서 계량을 철저하게 한다. 특히 처음 해보는 요리는 더 철저하게 한다. 여러 번 하다가 익숙해지면 그때야 어림잡아서 요리한다.

(우리 집 콩자반 레시피)

1. 작년에 처음 할 때는 요리 저울을 꺼내서 서리태 200g을 재서 준비했다. 그다음부터는 컵으로 재어서 2컵을 준비한다. 콩 속에서 썩은 콩이나 불순물 등을 골라냈다. 이번에 온 콩은 깨끗해서 골라낼 것이 별로 없었다. 영상 선생님이 가르쳐 준 것처럼 그물망에 넣어서 서리태를 박박 문질러 깨끗하게 씻었다. 물 1리터와 천일염 한 스푼을 넣어 불려주었다. 5시간에서 8시간을 불리라고 해서 아침까지 불렸다. 아침에 불려서 저녁에 만들거나 저녁에 불려서 아침에 만들면 딱 알맞다.

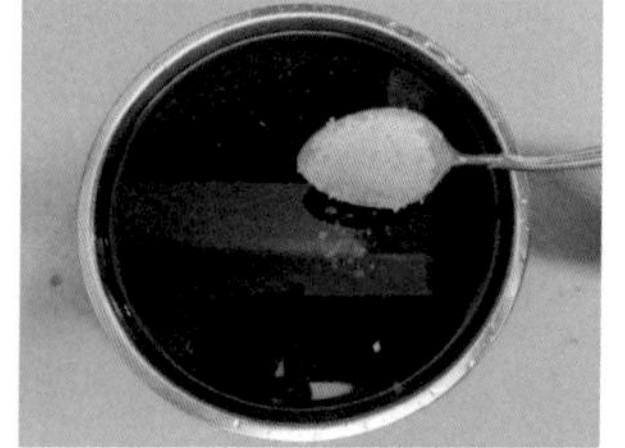

2. 작년에 적어둔 레시피 노트를 보며 요리를 시작했다. 다른 분이 보시면 일상 간단한 밑반찬 만들기인데 거창하게 요리라고 하니 약간 민망하긴 하다.
3. 콩을 건져서 웍에 담고 콩을 평평하게 펼친 후 콩 불릴 때 나온 콩물을 콩이 잠길 정도로 부었다. 씻어놓은 다시마 한 잎과 올리브

오일 한 스푼을 넣고 센 불에 끓여준다. 기름을 너무 많이 넣지 않도록 주의한다. 끓기 시작하는 순간부터 10분 정도 끓여주니 물이 바닥에 조금 남았다. 1/3정도 남을 때까지 졸여준다. 화력에 따라서 10분~13분 정도 끓여준다.

4. 이제 양념을 넣을 순서다. 진간장 3스푼과 만년 간장(조림 간장) 2스푼, 물엿 2스푼, 맛술 2스푼을 넣고 저으면서 3~5분 정도 더 끓여주었다.

5. 이제 마지막 과정만 남았다. 올리브 오일 한 스푼을 넣고 저어주다가 올리고당 2스푼을 넣고 불을 껐다. 요리의 마지막은 통깨가 들어가야 요리가 완성된다. 과정은 생각보다 쉽다. 시간도 오래 걸리지 않는다.

완성되었을 땐 콩이 쪼글쪼글하지 않고 분 것 같았는데 식힌 후 냉장고에 넣어두었더니 약간 쪼글쪼글했다. 콩자반을 꺼내서 먹어보았다.

약간 짭조름하고 달콤하며 딱딱하지 않은 콩자반 맛에 반했다. 내가 그동안 먹어 본 콩자반 중에 가장 맛있었다. 이 말은 진심이다. 유튜브 콩자반 선생님들께 넙죽 절이라도 하고 싶다. 무료 요리 강의를 이렇게 친절하게 잘해주시니 정말 감사하다. 참 편리한 세상에 산다.

흰머리가 거의 없는 것은 검정콩 때문

나는 60대 중반인데 흰머리가 거의 없다. 염색하지 않아도 흰머리가 거의 없다. 가끔 겉으로 나오는 흰머리는 가위로 잘라주고 있다. 뽑으면 한 개 뽑은 자리에서 흰머리 두 개가 나온다고 한다. 유전인가 싶지만, 남동생 두 명은 모두 머리가 희다. 아무래도 검정콩(서리태)을 많이 먹어서 그런 것 아닌가 싶다. 친정엄마 계실 때도 검정콩을 많이 넣어서 환을 지어 주셨는데 15년 이상 먹고 있다.

서리태를 많이 주문했고, 만드는 과정도 그리 복잡하지 않아서 올겨울에도 자주 해 먹으려고 한다. 검정콩 밥과 콩자반은 올겨울 우리 집 건강 밥상이 될 거다. 더군다나 농약을 주지 않고 기른 콩이라고 하니 더 귀하게 생각된다. 작년에 보관을 잘못했던 것이 생각나서 날이 따뜻해지기 시작하는 2월이 되면 김치냉장고에 넣어서 보관하려고 한다.

검정콩 먹고 일흔 살까지 염색 안 하길 기대해 본다.

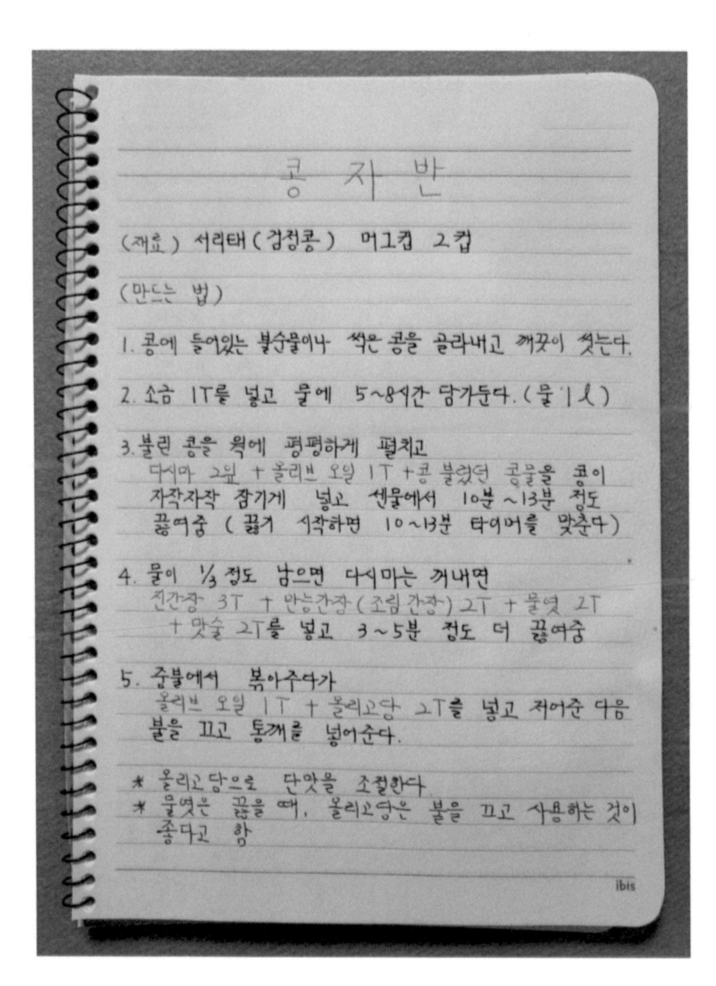

유 셰프 요리 교과서 '콩자반' 편

밥 먹기 싫은 날 샐러드빵을 만든다

빵을 좋아한다. 빵순이란 별명이 싫지 않다. 하루 세끼를 빵으로 때울 때도 있다. 하지만 요즘 건강을 생각해서 빵을 조금 멀리하려고 노력한다.

수요일 저녁에는 교회에 간다. 저녁 먹을 시간이 애매하다. 이럴 때 맛도 있고 저녁을 대신할 수 있는 샐러드빵을 만들어 먹는다. 마침 집에 단호박과 고구마, 감자, 달걀, 사과가 있어서 따로 시장 볼 것이 많지 않았다.

오늘 샐러드빵을 만들어야겠다고 생각한 것은 단호박 때문이다. 지난번에 해남에서 고춧가루 주문할 때 단호박과 호박고구마를 보내주셨다. 단호박으로 요리를 해 먹어야 하는데 미루다가 썩을 것 같았다. 생각하고 보내주셨는데 안 되겠다 싶어서 샐러드빵을 생각했다.

은행 일이 있어 2시 30분에 조퇴를 하였다. 은행 업무를 본 후 같은 상가에 있는 슈퍼에 들렀다. 오이와 양배추, 머스터드소스를 샀다. 집에 있는 재료를 꺼내서 샐러드빵에 들어갈 속 재료를 만들어 보았다.

(우리 집 샐러드빵 만드는 법)

1. 먼저 삶아야 할 것은 씻어서 찜기에 넣는다. 달걀은 물과 함께 냄비에 넣는다. 소금도 조금 넣었다. 찜기에 감자, 고구마, 단호박을 올리고 30분 정도 찐다. 빨리 익히고 싶으면 작게 잘라서 찐다. 작은 포크나 젓가락으로 눌러서 쑥쑥 잘 들어가면 잘 익은 거다. 단호박과 고구마는 없으면 안 넣어도 된다. 감자와 달걀 정도만 있어도 충분하다.

2. 재료가 쪄지는 동안 소금에 절일 채소를 준비한다. 오이는 길게 반으로 저며서 얇게 썰고, 양파도 채 썰어둔다. 각각 다른 용기에 소금 한 작은술을 넣어 잘 섞어둔다.

3. 양배추도 가늘게 채 썰고 당근도 채 썰어 같이 용기에 담고 소금을 한 작은술 넣고 절인다. 양배추는 1/3통, 당근은 1/3개 정도를 사용한다.

4. 절여진 재료를 물기 없이 꼭 짜둔다. 삶은 재료는 뜨거울 때 으깨야 잘 으깨진다. 달걀도 얇게 썰거나 으깨 놓는다.

5. 샐러드빵에 사과를 꼭 넣는다. 사과의 씹히는 맛과 상큼한 향이 좋다. 단감도 있어서 한 개만 넣어 보았다. 없으면 안 넣어도 된다. 사과와 단감도 얇게 썰어둔다. 모닝빵에 넣어서 먹을 거라 크기도 작고 얇게 써는 것이 좋다.

6. 이제 준비한 재료를 볼에 담고 마요네즈와 머스터드소스 그리고 플레인 요플레 하나를 넣고 버무린다. 새콤한 맛을 좋아하면 케첩을 조금 넣는다. 주요 소스가 마요네즈라 머스터드소스는 마요네즈의 1/2이나 1/3 정도만 넣는다. 재료가 잘 섞어질 정도만 넣는다.

7. 이제 모닝빵을 2/3 정도만 칼집을 넣어 자른 후에 속 재료를 넣는다. 나는 치즈를 좋아해서 슬라이스 치즈를 반으로 잘라서 넣어준다. 칼로리가 필요하면 빵 양쪽에 버터를 발라도 좋다. 모닝빵 대신 식빵으로 샌드위치를 만들어도 된다.

8. 접시에 담으면 끝이다. 남편 퇴근 시간이 많이 남아서 랩으로 포장을 해보았다. 랩으로 한 개씩 싼 후에 비닐랩 양쪽 끝을 잡고 돌려주면 공기가 빵빵하게 들어가서 예쁜 모양으로 포장이 된다.

오늘 저녁은 샐러드빵과 따뜻한 차 한 잔으로 브런치 같은 저녁을 먹었다. 만들어 놓은 샐러드는 용기에 담아서 김치냉장고에 넣어두면 며칠은 물이 생기지 않아서 괜찮다. 채소를 소금에 살짝 절여서 물기 없이 짜는 것이 요령이다.

이번 주말 아침에도 커피를 내려서 샐러드빵으로 브런치를 먹었다. 남편도 나도 빵을 좋아한다. 빵을 먹으면 기분이 좋다. 11월에 감기로 고생하다 보니 밥맛이 없었는데 샐러드빵으로 맛있는 아침을 먹었다.

밥 먹기 싫은 날 샐러드빵을 만든다. 샐러드빵은 다양한 채소와 달걀이 들어가서 한 끼 식사로 충분하다. 집에 있는 각종 채소와 과일을 활용하면 되니까 재료비도 많이 들어가지 않는다.

올겨울 밥맛 없을 때 맛도 좋고 영양도 풍부한 샐러드빵 어떠세요.

샐러드 빵

(재료) 달걀, 감자, 고구마, 단호박, 양배추, 사과, 감
오이, 양파, 당근, 모닝빵이나 식빵
* 재료는 필요에 따라 달라질 수 있음

(소스) 마요네즈, 머스타드 소스, 요플레 (케찹을 넣어도됨)
(1개)

(만드는 법)
1. 달걀, 감자, 고구마, 단호박은 삶아준다. 달걀은 찜기 아래에 물과 함께 넣고, 나머지 재료는 찜기에 넣고 삶는다. 빨리 삶으려면 잘라서 삶는다. (약 30분정도)
2. 양배추와 당근은 채 썰어서 소금 1t 정도 넣고 살짝 절여둔다.
3. 오이는 반으로 갈라서 얇게 썰고, 양파는 채 썰어서 각각 절여준다.
4. 사과와 단감은 얇게 썰어둔다. (단감은 없으면 넣지 않는다)
5. 2, 3에서 절인 채소는 물기 없이 꼭 짠다.
6. 1에서 삶은 재료는 뜨거울 때 으깬다.
7. 재료를 큰 볼에 담고 소스를 넣고 버무린다. 재료의 양에 맞추어 넣는다. (마요네스 : 머스타드 = 3 : 1)
8. 모닝빵에 샐러드를 넣는다. 치즈를 좋아하면 치즈를 반으로 잘라 넣는다.

ibis

유 셰프 요리 교과서 '샐러드 빵' 편

설맞이 초 간단 동치미 만들기

2023년 연말이다. 새해가 1주일 앞으로 다가왔다. 올해는 정말 다사다난했다. 사회적으로도 슬픈 일이 많았지만, 우리 집에도 올 한 해는 가장 슬픈 해가 되었다. 지난 2월에 함께 살던 친정엄마가 갑자기 하늘나라로 떠나셨다.

친정엄마는 인지가 조금 나쁜 것 빼고는 건강하셨다. 강릉에서 혼자 사시다가 인지가 나빠지셔서 우리 집으로 모셔왔다. 남동생도 두 명 있지만, 딸인 우리 집이 편하다고 하셔서 함께 살게 되었다. 우리 집에서 사시면서 편하다고 하셨다.

인지가 나쁘기 전에는 동치미 무를 소금에 굴려서 소금에 절인 고추와 갓을 넣어 항아리에 동치미를 만들어 주셨다. 짭짤한 동치미가 참 맛있었는데 친정 엄마표 동치미를 먹어 본 것이 언제인지 까마득하다.

친정엄마는 동치미를 좋아하셨다. 가래떡을 구워서 동치미와 드리면 잘 드셨다. 동치미 무보다도 국물이 시원하다며 잘 드셨다. 작년 겨울에도 동치미와 가래떡을 드렸는데 올겨울에는 대접해 드릴 친정엄마가 안 계시다.

우리 집은 신정을 지낸다. 아들이 결혼하면서부터 신정을 지냈다. 설날에는 며느리에게 아들과 함께 친정에 가서 부모님을 뵙고 오라고 했다. 며느리에 대한 작은 배려다. 예전에도 우리 집은 설날에는 차례상을 따로 차리지 않고 간단하게 떡국을 끓여서 먹었다.

떡국은 동치미와 같이 먹으면 맛있다. 다음 주가 1월 1일 신정이라 오늘 간단하게 만들 수 있는 동치미를 담갔다. 시골에 사는 동생에게 배워서 작년 설 즈음에 한 번 담가 보았다. 간단하게 만들 수 있지만, 맛은 옛날 동치미와 거의 같다.

성탄절이라 교회에서 성탄절 예배를 드리고 오면서 마트에 들렀다. 잘생긴 무 2개와 아삭이 고추 한 봉지, 쪽파, 마늘을 샀다. 재료도 아주 간단하다. 작년에 적어둔 레시피가 있어서 그대로 담갔다.

(우리 집 초 간단 동치미 담그기 레시피)

1. 무는 1회용 수세미로 깨끗하게 씻어둔다. 너무 크지 않고 먹기 좋게 자른다. 그렇다고 나박김치처럼 너무 납작납작하게 자르면 동치미 먹는 기분이 안 난다.

2. 잘라놓은 무에 천일염 2스푼을 넣고 2시간 정도 절인다. 1시간이 지나면 뒤집어 준다.

3. 마늘을 편으로 썰어서 다시 팩에 넣어 김치통 바닥에 넣는다. 절여진 무를 건져서 통에 담는다.

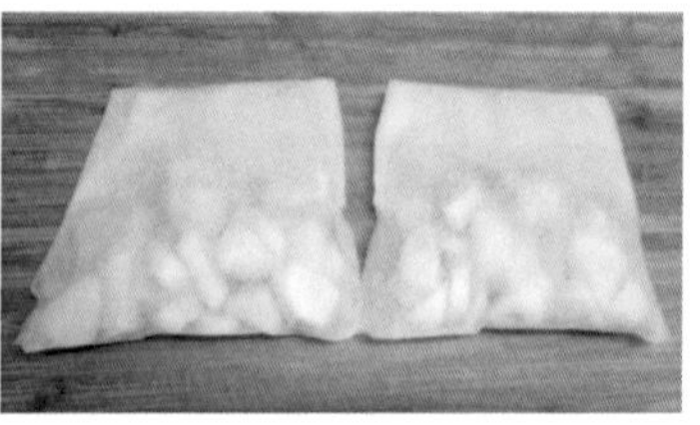

4. 배는 껍질을 벗기고 큼직하게 썰어서 무 사이에 넣는다.
5. 절인 고추를 넣어도 되지만, 아삭이 고추에 포크로 네댓 군데 구멍을 내고 넣어준다. 쪽파도 길게 넣어준다. 아삭이 고추도 간이 들면 썰어서 함께 먹으면 맛있다.
6. 물 4리터에 소금 5스푼을 풀어서 넣어준다. 기준은 물 1리터에 소금 1스푼이지만, 작년에 동치미 무가 약간 싱거웠던 것 같아서 올해 소금을 조금 더 넣었다. 조금 짜면 생수를 조금 넣어서 먹으면 된다. 누름 판이 있으면 누름 판으로 눌러서 재료가 물에 잠기게 한다.
7. 담근 동치미는 겨울에는 실온에서 2~3일 정도 익혀서 김치냉장고에 보관한다. 쪽파가 조금 누렇게 되면 익은 거다.

새해가 기다려진다. 차례상을 정식으로 차리진 않지만, 가족이 함께 떡국을 먹으며 새해를 맞이할 거다. 아들 둘에 며느리, 그리고 손자 세 명과 우리 부부다. 서로 세배하고 덕담을 나누고 세뱃돈을 주고받는다.

아들이 결혼하고 세배하면 며느리에게 용돈을 주었는데 이제는 손자들에게 용돈을 준다. 물론 아들, 며느리도 우리에게 용돈을 준다. 그냥 주고받는 정이다.

올 새해도 가족이 모여 동치미와 함께 떡국을 먹으며 행복하게 맞이하길 기대해 본다. 새해에도 가족이 화목하고 건강하고 안전한 한 해가 되길 바란다.

설 전에 담근 동치미는 정말 잘 먹었다. 점심에 혼자 있다 보니 늘 점심이 걱정이었는데 고구마를 구워서 함께 먹기도 하고 누룽지를 끓여서 동치미와 먹었다. 어떤 날은 가래떡을 구워서 먹고 때론 새싹 냉면을 삶아서 동치미 국물에 말아서 잘게 썬 동치미와 먹기도 했다. 동치미는 생각보다 어울리는 음식이 많다. 담근 동치미를 다 먹으면 한 번 더 담가서 겨울을 잘 보내야겠다.

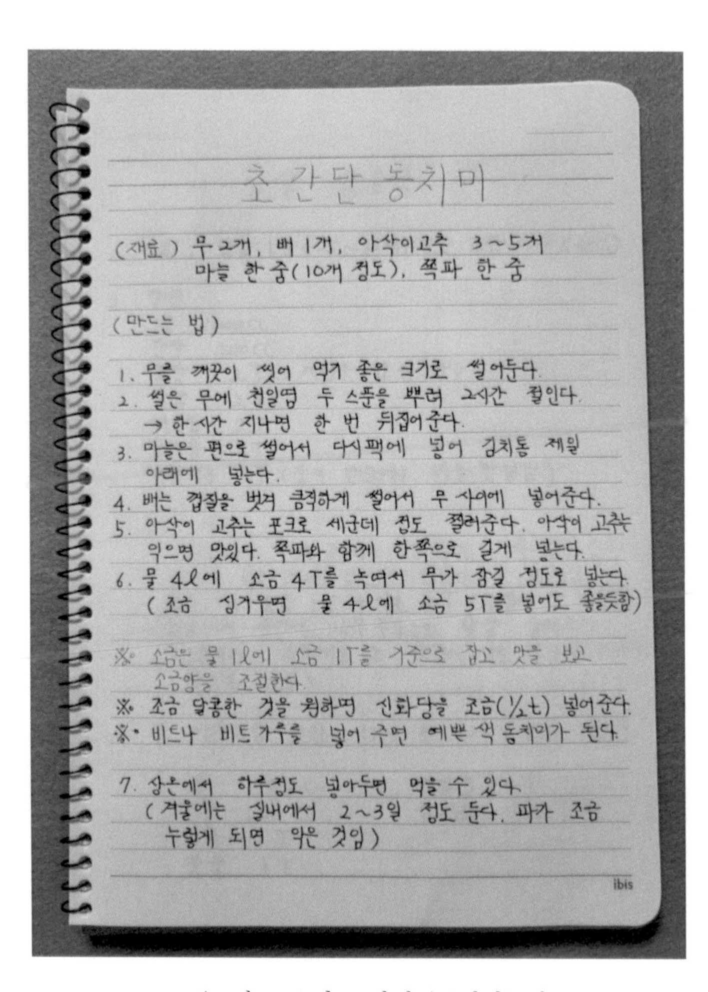

초간단 동치미

(재료) 무 2개, 배 1개, 아삭이고추 3~5개
마늘 한 줌(10개 정도), 쪽파 한 줌

(만드는 법)

1. 무를 깨끗이 씻어 먹기 좋은 크기로 썰어둔다.
2. 썰은 무에 천일염 두 스푼을 뿌려 2시간 절인다.
→ 한 시간 지나면 한 번 뒤집어준다.
3. 마늘은 편으로 썰어서 다시팩에 넣어 김치통 제일 아래에 넣는다.
4. 배는 껍질을 벗겨 큼직하게 썰어서 무 사이에 넣어준다.
5. 아삭이 고추는 포크로 세군데 정도 찔러준다. 아삭이 고추는 익으면 맛있다. 쪽파와 함께 한쪽으로 길게 넣는다.
6. 물 4ℓ에 소금 4T를 녹여서 무가 잠길 정도로 넣는다.
(조금 싱거우면 물 4ℓ에 소금 5T를 넣어도 좋을듯함)

※ 소금은 물 1ℓ에 소금 1T를 기준으로 잡고 맛을 보고 소금양을 조절한다.
※ 조금 달콤한 것을 원하면 신화당을 조금(½t) 넣어준다.
※ 비트나 비트 가루를 넣어 주면 예쁜 색 동치미가 된다.

7. 상온에서 하루정도 놓아두면 먹을 수 있다.
(겨울에는 실내에서 2~3일 정도 둔다. 파가 조금 누렇게 되면 익은 것임)

유 세프 요리 교과서 '동치미' 편

에필로그

매일 행복하지 않아도 행복해

42년 6개월 동안 근무했던 학교를 퇴직하고 1년 7개월이 지났다. 퇴직했지만 그동안은 완전한 은퇴는 아니었고 틈틈이 이웃 초등학교에 나가 아이들을 가르쳤다. 지난 2월 말에 아이들 가르치는 일을 접고 3월부터 완전하게 학교에서 은퇴했다.

퇴직하고 글 쓰는 사람으로 살았다. 글을 쓰면서 평범한 일상이 기적임을 깨달았다. 일부러 행복해지려고 매일 특별한 일을 만들지 않아도 행복했다. 아이들 가르치는 일도 보람된 일이지만, 가족과 나를 위해 사는 일도 행복임을 느낀다. 손자가 있어 행복하고, 남편과 함께 저녁을 준비하며 주저리주저리 이야기를 나누는 것도 행복이다. 가끔 친구들 만나러 예쁘게 차려입고 외출하는 일도 행복이고, 가족과 가까운 곳으로 나들이 가는 것도 행복이다.

두 번째 에세이 집을 출간하며 작가로 사는 내가 자랑스럽다. 출간한 책이 베스트셀러는 안되어도 책을 읽는 분들에게 희망과 행복을 전해드리면 그걸로 만족한다. 이 책을 읽으시는 분들이 나처럼 평범한 일상에서 행복을 찾길 바란다.

마지막으로 내 글이 세상에 나올 수 있도록 용기를 주신 분들과 라이킷과 따뜻한 댓글로 응원해 주신 브런치 스토리 작가님들께 진심으로 감사하다고 전하고 싶다. 첫 번째 책에도 추천사를 써 주시고 이번에도 흔쾌히 추천사를 써주신 최윤석 연출가님(브런치 스토리 초이스 작가님)께도 진심으로 감사드린다.

여기까지 올 수 있도록 힘이 되어준 남편과 퇴직 후 제2 인생을 늘 응원해 준 아들 며느리에게도 고맙다는 말을 전하고 싶다. 늘 글감이 되어주는 우리 집 행복이 지우 연우 준우가 있어서 오늘도 행복하다.

앞으로도 좋은 글 쓰며 은퇴 후 행복을 이어가리라.

2024년 5월

유영숙

매일 행복하지 않아도 행복해

발행	2024년 05월 02일
저자	유영숙(필명 : 유미래)
펴낸이	한건희
펴낸곳	주식회사 부크크
출판사등록	2014. 07. 15(제2014-16호)
주소	서울특별시 금천구 가산디지털1로 119 A동 305호
전화	1670-8316
E-mail	info@bookk.co.kr
ISBN	979-11-410-8356-4

www.bookk.co.kr